DIEU N'HABITE PAS LA HAVANE

YASMINA KHADRA

DIEU N'HABITE
PAS LA HAVANE

roman

Julliard

ISBN 978-2-260-02421-7

En vain sur une herbe
Elle essaye de se poser
Lourde libellule

Le moine errant Bashō
(1644-1694)

1.

« Qui rêve trop oublie de vivre », disait Panchito.

J'incarne mon propre rêve, pourtant je croque la vie à pleines dents sans en perdre une miette.

Je cherche toujours le bon côté des choses car elles en ont forcément un. Je vois le verre à moitié plein, une forme de sourire par-dessus la grimace, et la colère comme un enthousiasme dénaturé.

Le monde n'est pas obligé d'être parfait, mais il nous appartient de lui trouver un sens qui nous aidera à accéder à une part de bonheur. Il y a immanquablement une issue à n'importe quelle mauvaise passe. Il suffit d'y croire. Moi, j'y crois. Mon optimisme, je le cultive dans mon jardin potager.

Je me suis éveillé à la joie de vivre dès l'âge de cinq ans ; quant aux années qui précèdent, je ne m'en souviens pas – je suis certain qu'elles furent formidables, puisque mes parents l'étaient.

Ma mère était choriste. À Trinidad, sa ville natale, on la surnommait la « Sirène rousse ». Elle était un ravissement, avec sa peau de nourrisson, ses cheveux flamboyants qui cascadaient jusqu'à ses fesses et ses yeux verts, brillants comme des émeraudes. Lorsque mon père l'entendit chanter pour la première fois, il fut conquis corps et âme. Il l'épousa dans la foulée. Leurs noces se réinventaient chaque soir, leurs étreintes les scellaient; il leur suffisait de se regarder pour que les aurores boréales se substituent à leurs prunelles. Rarement amour aura été aussi fort. C'était l'amour des gens simples qui, se sachant faits l'un pour l'autre, deviennent à eux seuls le monde.

Mon père était un grand et beau mulâtre, prodigieux fruit du croisement improbable d'un aristocrate lituanien en exil et d'une enfant d'esclave affranchi – il avait hérité de l'un les bonnes manières, et de l'autre, l'endurance. Avec son vieux costume repassé méticuleusement, son chapeau au ras des sourcils et ses souliers cirés de frais, il aurait pu passer pour un prince de la nuit. Quand bien même il ne parvenait pas à joindre les deux bouts, il ne nous refusait pas grand-chose, à ma sœur aînée et à moi. Il disait : «Être pauvre, ce n'est pas manquer d'argent; être pauvre, c'est manquer de générosité.» Il aurait donné sa dernière chemise au premier venu. Le jour, il vivotait de petits boulots, le soir il trimait occasionnellement dans un bastringue pour un salaire de misère avant de décrocher un emploi comme chauffeur de maître. Il avait conduit Lucky Luciano qui possédait un hôtel sur le front de mer, puis un dénommé Brutus, l'une des plus grosses fortunes de Cuba forcée de déserter l'île au lendemain de la chute de Fulgencio Batista.

Lorsque la Révolution éclata, mon père se planqua à la maison durant des mois. Non par peur, mais par principe. Pour lui, se sacrifier était la plus grande injustice que l'on puisse s'infliger. «Mourir pour un idéal, arguait-il, c'est confier cet idéal aux usurpateurs; les orphelins auront beau le réclamer, personne ne le leur rendra.»

Mon père ne croyait pas dans les idéologies qui relèvent plus de l'élevage que du lavage de cerveau, ni dans les révolutions qui se contentent d'inverser les tyrannies au lieu de les renverser, ni dans les guerres aux mémoires courtes qui font croire qu'il y a des causes plus précieuses que l'existence, ce qui le révoltait par-dessus tout. Il aimait la vie avec ses hauts et ses bas, ses miracles et ses imperfections, ses kermesses et ses minutes de silence. Mon père était capable de composer un songe à partir d'une volute de fumée; il profitait de chaque fête comme si c'était la dernière, persuadé que nos rares mérites sont les moments de joie partagés avec les êtres que nous chérissons et en dehors desquels le reste n'est que concession.

C'est lui qui m'a appris à faire d'un sandwich un festin. C'est encore lui qui m'a certifié qu'être un homme, un vrai, revient à ne pas essayer d'être autre chose que soi-même – de cette manière, au moins, on ne trompe personne.

Le seul conseil qu'il m'a donné est : «Vis *ta* vie.» D'après lui, c'était l'unique conseil sensé.

Dans les années 1950, il m'emmenait écouter les rois du boléro, de la guajira, de la charanga. Je découvris ainsi cette sacro-sainte charité humaine sans laquelle le monde ne serait qu'un chahut démentiel : la musique, ce don magnifique que Dieu envie aux hommes. Défilaient dans les guinguettes assiégées Celia Cruz, Eduardo Davidson, Pérez Prado et toute une clique de musiciens chevronnés fabuleux. À l'époque, La Havane ne dessoûlait guère, les cabarets vibraient au rythme du cha-cha-cha, le mambo ensorcelait les noceurs et les rues grouillaient de *trovaderos* et *soneros* paumés en quête de gloire. Je me souviens, au sortir des night-clubs, que des femmes pimpantes et éméchées se laissaient embarquer dans des bagnoles colossales en riant aux éclats ; dans les casinos aux enseignes rutilantes, les nababs claquaient leur fric sans compter, et au fin fond des quartiers défavorisés, y compris le plus pauvre d'entre eux, Santos Suárez, il y avait partout, sur le pas des portes ou à même le trottoir, des insomniaques inspirés en train de taper sur des caisses de morue. La Havane était le paradis des gros bonnets de Floride, des «familles» de Baltimore, des bootleggers en rupture de stock et des parrains convalescents ; les cercles mondains se voulaient citadelles imprenables où n'étaient admis que les cols blancs, cependant, malgré la ségrégation qui frappait jusqu'à nos gouvernants, il ne nous était pas interdit, à nous les Afro-Cubains, de fantasmer à la périphérie des liesses arrosées. On avait le droit de crever de faim, mais pas celui de bouder l'écho des percussions.

Un soir, dans une salle archibondée, j'avais assisté à un concert d'*El barbaro del ritmo*, l'inimitable Benny Moré.

Quel choc !

Je venais de rencontrer *mon* prophète.

J'avais dix ans et donc toute la vie devant moi pour faire de la musique mon culte et de chaque partition, une messe.

C'est ainsi que je suis devenu chanteur.

Je m'appelle Juan del Monte Jonava et j'ai cinquante-neuf ans. Dans le métier, on me surnomme «Don Fuego» parce que je mets le feu dans les cabarets où je me produis.

C'est ma mère qui m'a initié au chant pendant qu'elle me portait dans son ventre. À ma naissance, mes cris retentissaient d'un bout à l'autre de l'hôpital ; on raconte que les infirmières me pinçaient les orteils pour me forcer à pleurer, émerveillées par la pureté de ma voix. Les sceptiques trouveront que je force un peu le trait. Ils ont le droit de le penser. Je ne fais que consigner ici ce que l'on m'a raconté.

Ma carrière pourrait se résumer à mon répertoire de standards, c'est-à-dire aux chansons que j'emprunte aux autres car, malgré ma virtuosité, je n'ai pas réussi à intéresser un parolier ou un compositeur. Je connais tous les succès de la *rumba* et du *son* que j'interprète avec brio, mais personne ne m'a gratifié d'un texte qui soit à moi, rien qu'à moi, avec mon nom gravé sur le disque. Bien sûr, j'aimerais éditer un tube avec ma photo sur la jaquette, survoler les troquets avec mes chansons *à moi* ou écouter distraitement *ma* musique dans un taxi, tandis que le chauffeur perd de vue la route à force de se demander si c'est moi ou un sosie – hélas, les choses fonctionnent au gré des sonates qui nous échappent. Dire que ça me passe au-dessus de la tête, ce serait mentir sans vergogne. Je suis un artiste-né ; le statut de doublure me frustre cruellement quand, en me contemplant dans la glace, je me trouve une «belle gueule» franche qui mériterait de vrais lauriers. Cependant, je me ressaisis. Si je n'ai pas mon nom en haut de l'affiche, ça n'ôte rien à mon talent. Lorsque je tiens un micro dans mon poing, j'accède d'office au nirvana – ce que je suis avant de monter sur scène et ce que je deviens à l'instant où la salle se vide m'importent peu. Je rentre chez moi si épuisé et ravi que je m'endors avant que ma tête touche l'oreiller.

J'ai connu des périodes euphoriques dans ma jeunesse, quelques encadrés dans la presse – c'est d'ailleurs à un journaliste que je dois mon surnom. J'ai interprété «Hasta Siempre» devant Fidel, j'ai chanté deux fois à l'anniversaire de Gabriel García Márquez, ainsi que pour un tas d'oligarques soviétiques en visite officielle sur l'île ; j'ai même figuré dans un film aux côtés de la divine Mirtha Ibarra avant d'être coupé au montage pour je ne sais quelle raison.

Aujourd'hui, bien que je ne draine pas les foules, la ferveur n'a pas baissé d'un décibel.

Je travaille au Buena Vista Café – jadis Buena Vista Palace, si cher aux flambeurs de Cincinnati, que la révolution castriste a rétrogradé au rang de « café » pour la bonne cause prolétarienne. L'endroit garde encore les vestiges de son lustre d'antan avec sa façade impériale lambrissée de marbre, son perron à colonnades, sa pelouse sous les cocotiers et son vaste hall tapissé de miroirs – sauf que l'entretien et les prestations de service laissent à désirer.

Certes, le public a changé; il est constitué d'anciennes groupies, de touristes âgés, amateurs de gros cigares et d'adolescentes effrontées – n'empêche ! Je demeure le saint patron des soirées enfiévrées, le conjurateur des vieux démons. Il me suffit de me racler la gorge pour que les gens divorcent d'avec leurs soucis et se lancent sur la piste.

Il faut me voir sur scène, avec mon panama enrubanné rouge sang, ma queue-de-cheval et ma dégaine. Lorsque je penche du buste en m'appuyant sur une jambe et en battant la mesure avec le bout de mon pied, la chemise ouverte sur le duvet de mon torse musclé, il arrive parfois à ces dames de tomber dans les pommes.

Si les gens continuent de fréquenter le « café », c'est grâce à moi, Don Fuego, le souffle incendiaire des Caraïbes.

Chanter, c'est ma vie.

Je suis une voix – ma tête, mes jambes, mes bras, mon cœur, mon ventre n'en sont que des accessoires de fortune.

Ce soir, comme ceux qui l'ont précédé et assurément ceux qui vont suivre, je me sens d'aplomb.

Il ne fait pas trop chaud pour la saison, le couchant est une pure merveille, et, à en juger par l'armada de taxis sur le parking du Buena Vista Café, il va y avoir des bousculades sous les feux de la rampe.

J'en frémis d'aise.

— Le directeur veut te voir *après* la soirée, m'annonce Luis, le portier.

D'habitude, le directeur me reçoit *avant* le spectacle, juste pour tailler une bavette tant il se barbe dans son cagibi.

Je reviens sur mes pas, soulève un sourcil et cherche à coincer le regard fuyant du portier.

— Tu es sûr qu'il a dit « après » et pas « avant » ?

— J'ai quelques molaires qui manquent à l'appel, mais mes oreilles sont intactes.

— Il se débine toujours au beau milieu du spectacle. Pourquoi est-il obligé de veiller, ce soir ? Tu penses qu'il y a un problème ?

— J'en sais rien et je m'en fiche, grogne-t-il en courant intercepter un taxi.

Luis est à l'accueil du Buena Vista depuis vingt-deux ans. À Cuba, certains portiers s'autorisent des galons plus larges que leurs épaules. Luis en est le parfait spécimen. En plus de sa mission domestique qui consiste à déployer un parapluie ou à trimbaler les bagages des clients, il s'arroge les prérogatives d'un agent de la sécurité : il filtre l'affluence, refoule les racoleuses qui viennent draguer les pépères friqués aux accents étrangers, moucharde aussi pour que le patron l'ait à la bonne, mais son loisir de prédilection à lui, ce sont les taxis qui débarquent avec leur lot de touristes. Quand il en voit arriver un, ses yeux flambent et sa moue de pitbull se laisse avaler par un sourire glucosé qui lui fend la figure en deux. Il dévale le perron d'une seule enjambée et, à l'instant où il ouvre la portière, son autre main réclame le pourboire. Dans la boîte, on l'appelle « le Magicien ». Il escamote si vite les pièces de monnaie qu'on lui glisse dans la paume que nul n'est assez alerte pour deviner dans quelle poche il les a mises.

Je reste sur la dernière marche du perron pour observer Luis. En le voyant rafler les pesos plus habilement qu'un prestidigitateur, j'en déduis que l'« après » en question ne doit être qu'une fausse alerte.

Dans la cour où se déroulera la fête, tout est fin prêt. On a installé les micros, articulé les projecteurs autour de l'estrade, branché les câbles ; les techniciens s'attellent à mettre au point les derniers réglages de la sono.

Mes danseuses ont enfilé leurs costumes moulants qui accentuent la courbure mythique de leur croupe ; elles papotent dans les vestiaires avec les musiciens. Je les salue et fonce vers ma loge où je dispose d'une armoire métallique rapportée d'une caserne et d'un canapé pour me détendre. Dans l'armoire cadenassée, il y a mon panama, ma veste Christian Dior achetée à Paris que l'épouse d'un diplomate belge m'avait offerte en gage d'amitié, ma chemise en soie, cadeau d'une Canadienne, mon pantalon de flanelle et mes chaussures italiennes à pointe ferrée. Des articles de cette qualité ne se vendent pas dans les boutiques de La Havane. Mes costumes de scène, souvent, je les trouve soigneusement pliés sur le lit de mes conquêtes d'une nuit, en général des jeunes dames de soixante ans venues de pays lointains chercher l'exotisme insulaire dont j'incarne parfois la succulence agissante. Je ne couche pas pour le plaisir, encore moins pour de l'argent, mais pour habiter les souvenirs de ces bourlingueuses fortunées au même titre qu'un musée ou un monument. Ça me fait croire que je voyage avec elles à travers le monde, moi qui n'ai pas quitté Cuba une seule fois de ma vie.

Dès la tombée de la nuit, l'orchestre entame «Maria Bonita» afin de permettre aux retardataires de s'installer dans la bonne humeur. Par l'entrebâillement du rideau, je jette un coup d'œil sur la cour. Une soixantaine de touristes occupent les sièges déployés à même la pelouse. Les serveurs continuent de proposer des rafraîchissements, leur plateau en équilibre sur la main. Un peu en retrait, un vieillard paraplégique sommeille dans sa chaise roulante, la bouche ouverte, un filet de salive sur le menton. Au fond, deux dames en short se déhanchent déjà, l'œil rivé sur un bel étalon noir visiblement sensible à l'attention qu'on lui prête.

J'ai envie de me jeter dans l'arène sans perdre une minute. Mon corps tremble comme s'il cherchait à s'éjecter hors de mes vêtements pour courir nu à l'air libre. Mon cœur bat à me défoncer la cage thoracique. Il bat ainsi depuis trente-cinq ans chaque fois que je me prépare à monter sur scène. C'est un moment d'une exquise intensité. J'ai le sentiment d'être sur le point de provoquer des miracles, de pouvoir bientôt transformer les toxines en étincelles, les frissons en orgasmes. Et puis, quelle fierté de voir, grâce à moi, un vétéran se découvrir la force de remuer ses vieux os au rythme des *tumbadoras*, les couples valser en s'enlaçant comme aux premiers jours de leur idylle et les saintes-nitouches aux poitrines tombantes troquer volontiers leur réserve excessive contre un pas de danse. C'est mon bonheur à moi, et aucun bonheur n'est entier s'il n'est pas partagé.

Je suis à deux doigts de crever d'impatience lorsque enfin les projecteurs se déportent sur les loges pour m'annoncer ; je fais une entrée fracassante à l'instant où les musiciens entament « Oye como va ».

Au bout de quelques tubes, la fièvre gagne l'auditoire, ensuite, quand on enchaîne sur la rumba, des vacanciers envahissent la piste tout en se gardant de gêner mes danseuses. Certains sortent des iPad pour me filmer, d'autres des portables et des caméras minuscules. Une énorme rouquine qui me dépasse d'une tête me rejoint sur l'estrade pour que son compagnon, un freluquet en chapeau de brousse, la prenne en photo en ma compagnie.

Vers minuit, la fête tourne à la transe. La piste est encombrée de corps en sueur, de pieds entremêlés qui se marchent dessus, trop incertains pour suivre la cadence endiablée des enchaînements. Des groupies gravitent autour de moi, les prunelles en flammes, la bouche offerte, m'effleurent de leurs hanches tremblantes avant de regagner leur place, essoufflées et grisées, pour me dévorer des yeux.

Vers la fin de la soirée, un monsieur en pantacourt fleuri me demande de lui chanter «La negra tiene tumbao» de Celia Cruz – plus tard, il m'avouera que la mort de la diva cubaine, qu'il poursuivait partout où elle se produisait, a dépeuplé son univers.

Dans un dernier tour d'honneur, mes danseuses invitent toute l'assemblée à les rejoindre sur la scène et j'en profite pour clôturer la soirée avec «Guantanamera» que les vacanciers reprennent en chœur dans un ballet émouvant.

2.

Je n'ai pas encore fini de me rhabiller que Luis tapote déjà du doigt sur le cadran de sa montre pour me signifier que le directeur commence à s'impatienter. Je donne un coup de peigne à mes cheveux, tire sur ma queue-de-cheval et, après un clin d'œil à mon reflet dans la glace, je prends l'escalier qui mène à l'étage.

Le bureau du directeur se situe au fond du couloir. C'est une petite pièce austère aux fenêtres barreaudées, avec une table de cantine rongée sur le pourtour, deux chaises en fer, un frigo nain dans un coin, un coffre antédiluvien et, au plafond, une vieille ampoule grêlée de chiures de moustiques. Pedro Parveras gère le Buena Vista depuis une bonne vingtaine d'années. Il passe tellement de temps cloué sur son siège, à grignoter et à se tourner les pouces, qu'il en est devenu obèse. Il a un beau visage basané aux traits fins qui paraît insolite sur un corps empâté, lequel descend en s'évasant avant de déborder en bourrelets difformes au niveau des hanches. Pedro n'aime pas trop se lever, car il est petit et a les jambes arquées. Assis, il est à son aise, les mains croisées sur sa bedaine de bouddha en méditation. Malgré la cinquantaine, pas un cheveu blanc ne fausse le noir de sa toison crépue.

C'est quelqu'un de bien, un peu lourdaud, mais compréhensif et généreux. Luis a beau lui en rapporter des vertes et des pas mûres sur les agissements du personnel, pas une fois Pedro n'a sévi contre qui que ce soit ; il se contente de prêter une oreille distraite au mouchard, de hocher la tête en se mordillant la lèvre, ensuite, il promet des sanctions qu'il n'appliquera pas et demande qu'on le laisse traiter un courrier aussi banal que les notes de service gauchissant sur les murs du couloir.

Sa mine me déplaît d'emblée.

Il me désigne une chaise, me propose une bière que je refuse en restant debout.

— Tu tombes de sommeil, lui dis-je. Ça ne pouvait pas attendre demain ?

— Demain est un autre jour, Juan.

Il porte un bout de cigare à sa bouche, l'allume et se détourne pour ne pas me jeter la fumée à la figure.

— Toute chose a une fin, grogne-t-il, énigmatique.

— Je n'aime pas qu'on tourne autour du pot, Pedro. Va droit au but. C'est à cause de l'incident avec Marcus, c'est ça ?

— Que s'est-il passé, avec ce crétin ? Je ne suis pas au courant.

— Dans ce cas, pourquoi me retiens-tu ici après le spectacle ? J'ai besoin de me reposer. Tu as vu comment j'ai enflammé l'assemblée ?

— Oui, j'ai regardé par la fenêtre.

— Alors, c'est quoi, le problème ?

Pedro tire avec hargne sur son reste de cigare avant de l'écraser dans le cendrier.

— Notre bonne vieille boîte passe la main, mon ami. Ce soir, à minuit, elle change de statut. (Il consulte sa montre.) Et il est une heure trente et une.

— Je te demande pardon ?

— Le Buena Vista tourne la page, Juan. Une dame de Miami vient de l'acheter dans le cadre de la privatisation décidée par le Parti.

J'ai l'impression de recevoir un seau d'eau glacée sur le dos.

Ma gorge se contracte.

— Le Buena Vista est un bien de l'État, un patrimoine national...

— Nous appartenons tous à l'État, Juan. Nos maisons, nos carrières, nos soucis, nos sous, nos chiens, nos femmes et nos putains, jusqu'aux cordes avec lesquelles on nous pendra un jour. Et quand l'État décide de se passer de nous, il est dans son droit.

Pedro est furieux. Mes questions l'agacent, mais son accès de colère est surtout provoqué par ses propres propos. Il passe une main nerveuse dans ses cheveux.

— Je suis aussi outré que toi, Juan, mais ça ne compte pas.

— C'est quel type de gens, les nouveaux pro-
prios?

— Je ne les ai pas rencontrés et j'ignore s'ils
vont garder une partie du personnel ou nous foutre
tous dehors. L'heureuse acquéreuse va procéder à
des travaux, et donc, les soirées sont suspendues
jusqu'à nouvel ordre.

— Des travaux de combien de temps?

— Peut-être six mois, peut-être un an.

Je réalise enfin où il veut en venir et m'écroule
sur la chaise.

— Je vais me produire où, moi, pendant ces six
mois?

— Pas ici, en tout cas.

— Mais, Pedro, tu me connais. Si je ne chante
pas, je meurs.

— On meurt tous un jour ou l'autre.

— On ne peut pas me faire ça, voyons. Je suis
Don Fuego, je mets le feu dans les salles.

— S'il te plaît, Juan, débarrasse-toi de ce
«Don». C'est antirévolutionnaire.

J'ai envie de lui hurler que la révolution, si elle
formate les esprits, ne saurait expurger nos gènes
de l'héritage millénaire de l'humanité, que mon
«Don» n'est pas une référence féodale subversive,
mais un titre de noblesse artistique pleinement
mérité – j'ai envie de lui balancer tout ça d'une
traite, pourtant cette histoire de travaux m'afflige
plus que n'importe quelle remarque désobligeante.

— Attends, attends, Pedro. Tu n'as pas l'air de
t'en rendre compte. Tu es en train de m'annoncer

que je risque de ne pas remonter sur scène pendant
six mois. Jamais je ne tiendrai le coup. Six mois,
c'est mille ans pour moi.

— J'ai dit six mois ou un an. Ça pourrait durer
plus encore. Et je n'ai pas dit qu'une fois les travaux
achevés, les nouveaux patrons te reprendraient.
C'est désormais une boîte privée. La nouvelle
équipe va apporter ses propres bagages et faire
venir ses propres amuseurs. D'après certaines
indiscrétions, le Buena Vista sera exclusivement
réservé aux touristes plutôt jeunes et aux enfants
dorés de la nomenklatura. Et en soirée, on jouera
du reggaetón.

— Du reggaetón au Buena Vista ? (Je manque
de m'étrangler d'indignation.) Du reggaetón, ce
tapage de voyous, ici, dans notre boîte à nous ?

— Eh oui, mon cher, du reggaetón au
Buena Vista.

— Je n'en crois pas mes oreilles.

— Je ne crois pas aux anges ni au paradis, ça
n'empêche pas les cloches de sonner au sommet
des églises.

Je suis hors de moi, incapable de dire si c'est à
cause de la privatisation de la boîte ou bien de voir
le reggaetón damer le pion à la musique qui fait la
fierté des Cubains.

Je hoche la tête, scandalisé.

— Personne n'a le droit de permettre à un raffut
bâtard et dégénéré de supplanter la rumba.

— Chaque génération adopte le chant qui lui
convient, Juan. On n'échappe pas à l'air du temps.

— C'est une honte, un sacrilège. Cuba est la patrie de la rumba et du son. C'est notre référence, notre identité, notre exception culturelle dans le monde.

Pedro est fatigué. Il se prend le menton entre le pouce et l'index et me fixe de ses yeux rouges.

— Tu as parlé de moi à la dame ?

— Elle ne te reprendra pas. Ni moi, d'ailleurs.

— Toi, tu es un fonctionnaire cadre. On te recasera vite.

— Je suis navré, Juan. Ce n'est pas la fin du monde. Tu as ton salaire garanti par l'État, ta carte de ravitaillement et assez de temps devant toi pour trouver du boulot dans un cabaret ou dans un hôtel.

— Il s'agit du Buena Vista. Un site indissociable de La Havane. On n'a pas le droit de le livrer aux opportunistes. Tu es le directeur, tu dois t'opposer à ce transfert contre nature et rappeler à l'ordre les décideurs.

Pedro cogne si fort sur la table que le cendrier s'envole avant de se fracasser au sol.

— Ça suffit !

Sa figure vire au gris violacé et ses lèvres se retroussent en une grimace féroce.

— Je ne veux pas que l'on me dicte ce que je dois faire, ce qui est bon ou ce qui est mauvais, ce qui est juste ou ce qui ne l'est pas. J'ai une jugeote et il n'appartient qu'à moi, et à moi seul, de croire ou pas à la fatalité, car lorsque j'ai mal au cul, personne ne partage ma douleur.

C'est la première fois que Pedro réagit de cette façon en ma présence.

Il se ressaisit.

— Ça ne sert à rien de s'indigner, observe-t-il d'une voix lézardée. Je suis aussi scandalisé que toi, Juan. Le Buena Vista, c'est plus de vingt ans de ma vie, mais ce n'est pas *la* vie. On est dans un pays où les décisions s'exécutent et ne se discutent pas.

Ses yeux luisent de larmes. Il serre les poings pour refouler ses sanglots. Sa rage me peine. Je m'aperçois que mon entêtement n'a fait qu'attiser ce qu'il tentait de réprimer.

— Je suis désolé si je t'ai offensé, Pedro.

— Les excuses sont destinées à ceux qui se mêlent de ce qui ne les regarde pas. Il est tard, je dois rentrer me coucher.

Abasourdi, je m'entends chuchoter :

— Tu aurais pu me prévenir avant.

— Ça n'aurait servi à rien, Juan. À rien du tout. Au moins, ce soir, tu as fini en apothéose.

— Tu parles d'une tombée de rideau ! maugrée-je en me levant.

Je me traîne jusqu'aux toilettes, m'asperge d'eau. Les murs tournent autour de moi. Je dois m'arc-bouter contre le lavabo pour ne pas m'effondrer. Pedro aurait pu attendre demain pour m'annoncer la terrible nouvelle ; comment vais-je faire pour dormir, maintenant ?

Je descends les escaliers comme on dégringole de son nuage. C'est la première fois, en trente-cinq ans, que je suis face à une situation pareille. Persuadé d'être venu au monde pour mourir sur scène, jamais le spectre de la retraite, encore moins celui du licenciement, ne m'a effleuré l'esprit.

Cette histoire de privatisation me paraît aussi incongrue que les lendemains qui m'attendent au tournant. Je ne sais quoi en penser ni comment réagir.

Luis est effondré sur une marche. Il ne lève pas la tête lorsque je passe à côté de lui.

Mon cousin Félix m'attend au coin de la rue, dans sa vieille Dodge de 1954 qui lui sert de taxi. Il tente laborieusement d'expliquer à un groupe de touristes qu'il n'est pas de service, mais son anglais hasardeux complique davantage les choses.

Il est soulagé de me voir.

— Juan, au secours. Dis à ces dames que je ne suis pas disponible. Elles veulent que je les emmène à Cojímar visiter la piaule d'Ernest Hemingway et pensent que je fais le difficile pour obtenir un meilleur prix.

Les dames, qui sont trois, flanquées d'un homme haut et maigre comme un mât de cocagne, me reconnaissent et se ruent sur moi. Sans me demander la permission, elles se blottissent contre mes hanches, frémissantes d'aise, pour se prendre en photo. L'une d'elles m'avoue, avec un accent scandinave, que j'ai été «divin». La plus trapue se glisse sous mon aisselle et se fait toute petite. «C'est pour mon Facebook, glousse-t-elle. Je vais susciter pas mal de jalousie.» Les flashes fulgurent dans la nuit, tels des sortilèges argentés. J'essaye d'afficher mon sourire de charmeur, certain que sur les photos mon regard ne suivra pas.

— On reviendra vous écouter la semaine prochaine, dès notre retour de Santiago de Cuba, me promet l'homme.

La semaine prochaine? pensé-je. C'est sur quel calendrier?

Les dames m'embrassent sur les joues. Leurs baisers retentissent dans le silence. Je leur explique que le taxi était là pour moi. Elles n'insistent pas et se ruent vers une autre voiture qui vient de se garer contre le trottoir d'en face.

— Tu en as mis du temps, me fait Félix, l'œil malin. Qui t'a mobilisé si tard? Une Italienne incandescente ou une Norvégienne ronde et blonde comme une botte de foin?

— Rentre chez toi, Félix. Je vais marcher un peu.

— Il est presque deux heures du matin, voyons.

— J'ai une montre, figure-toi.

Il se penche sur moi, le front plissé.

— Tu as des ennuis, Juan?

— Rien de grave.

— Tu es sûr?

— On n'est jamais sûr de rien, cousin, sinon, la vie ne vaudrait pas ses peines.

Je ne reconnais pas ma voix. Je ne me souviens pas de m'être senti aussi misérable. Je ne sais pas m'y prendre avec le désarroi. J'ignore ce genre d'épreuve. Mon existence durant, je n'ai eu à «subir» qu'ovations et tapes gaillardes sur l'épaule.

— Tu ne veux pas me dire ce qui se passe ?

Lui non plus ne se souvient pas de m'avoir vu aussi abattu.

— Ne t'inquiète pas, Félix. Je vais faire un tour sur le front de mer avant de rentrer à Casa Blanca.

— Le ferry est fermé à cette heure. Tu vas faire comment pour traverser la baie ?

— Je marcherai sur l'eau.

Du trottoir d'en face, les dames m'adressent de grands signes de la main avant de s'engouffrer dans la guimbarde qui démarre dans un tintamarre de soupapes esquintées. Le silence qui s'ensuit m'afflige encore davantage.

Je traverse la chaussée et j'emprunte une rue en amont.

— Hé ! Juan, tu es sûr que ça va ? me lance Félix.

— Puisque je tiens encore sur mes jambes, grommelé-je sans me retourner.

Un gros nuage avale la lune. Au bout du trottoir, un lampadaire se prend pour un saint, son auréole de lumière assiégée de moucherons. Une famille veille sur le pas de sa porte, les hommes en caleçon et en débardeur, les femmes enfouies dans des sièges en toile. Apparemment, la vie continue ; les gens et les choses demeurent ce qu'ils ont toujours été, mais moi, je me sens soudain étranger à moi-même et à ce qui m'entoure.

Il y a du monde à l'hôtel Nacional, probablement un mariage ou bien un congrès qui s'est oublié au bar. Des voitures ramassent les convives à la sortie. J'entends les portières claquer, des voix s'interpeller.

Je descends l'avenue jusqu'aux feux, regagne le long parapet qui s'oppose à la mer. Un petit groupe d'insomniaques bavarde çà et là en s'envoyant des rasades de tord-boyaux. Les samedis, tous les jeunes de la ville se donnent rendez-vous à cet endroit. Ils s'assoient sur le muret et tournent le dos à l'île. Leur regard se perd au large comme leurs rêves d'évasion. Puis, lorsque les vagues s'excitent, on arrête de dériver dans sa tête et on se remet à se soûler pour se donner du cran et s'occuper un peu de la petite amie qui se morfond à côté.

Ce soir, de rares noctambules s'obstinent à tenir tête à la houle, trop ivres pour songer à rentrer chez eux. Le halètement des vagues a quelque chose d'abrutissant. D'habitude, j'aime le fracas des flots qui se brisent contre le béton et les gerbes laiteuses qui jaillissent d'entre les rochers. Tout est musique pour moi, même le staccato de mes chaussures sur le trottoir. Ce soir, n'importe quelle symphonie résonnerait en moi telle une huée. J'ai le sentiment que l'on est en train de me bannir.

3.

Je n'ai pas fermé l'œil de la nuit.

Le matin, à la première heure, sous prétexte de récupérer mes affaires personnelles, je décide de retourner au Buena Vista. En réalité, je nourris l'espoir absurde que cette histoire de privatisation ne soit qu'une rumeur, que rien d'officiel n'ait été signé. En chemin, j'imagine Pedro et Luis en train de me guetter sur le perron du cabaret, la main sur la bouche pour masquer leur rire. Je les vois me montrer du doigt en me lançant : «On t'a fait marcher, pas vrai? On t'a fait passer une sacrée nuit blanche», et moi, soulagé, je me figure en train de les remercier de s'être payé ma tête pour me rendre à une joie plus forte que celle que je partage avec mon public... Mais il n'y a personne sur le perron du Buena Vista. On a baissé la barrière pour empêcher l'accès au parking, mis un nouveau gardien dans la guérite. Deux camions sont garés devant l'entrée principale pendant que les déménageurs s'affairent çà et là.

Le hall est livré aux feuilles volantes et aux crissements des meubles qu'on déplace. C'est d'une tristesse. On dirait l'évacuation d'un immeuble en danger. Les employés montent et descendent les escaliers, ployés sous leurs fardeaux, se télescopent par endroits et poursuivent leur chemin sans s'excuser, trop éreintés pour s'encombrer de bonnes manières.

Je demande à voir le directeur.

— Le nouveau n'est pas encore arrivé, l'ancien est sur la terrasse, m'informe une jeune dame au teint cireux qui supervise l'occupation des lieux, munie d'une chemise cartonnée ouverte sur des feuillets dactylographiés.

La terrasse se situe à l'extrémité d'un vaste carré de gazon. Pedro est amoncelé sur une chaise en osier, un pied contre la balustrade, le regard catapulté au large. Son chagrin briserait le cœur à un bourreau. Tout en lui réclame le coup de grâce. À Cuba, pour un fonctionnaire qui s'est longtemps reposé sur ses lauriers, le réveil brutal à la morsure d'ortie est pire qu'une lente agonie. Et Pedro s'est réveillé plus tôt que prévu. Je n'ai pas besoin de lui prendre le pouls pour savoir que son cœur ne bat que pour faire diversion.

Il se tourne vers le bruit de mes pas ; son visage évoque un masque aztèque en terre cuite. En me reconnaissant, il tente de pousser du pied dans le fossé les bouteilles de bière qui traînent sous son siège, mais son ébriété est manifeste.

Je le salue et m'assois sur une chaise à côté de la sienne.

Nous contemplons la mer, lui affaissé sur sa bedaine débordante, moi, tâchant d'avoir l'air décontracté.

J'attends que Pedro énonce quelque chose, ou qu'il lâche un soupir, ou qu'il esquisse un geste. Pedro demeure englué dans ses bourrelets de graisse. Son bras suspendu par-dessus l'accoudoir finit par se tendre jusqu'au sol à la recherche d'une bouteille, tâte çà et là avant de ramollir, misérable et bredouille.

— Belle journée, n'est-ce pas ?

— Hein ? s'écrie l'ancien directeur en sursautant.

— J'ai dit que c'était une belle journée.

— Ouais, maronne-t-il.

Encouragé, je poursuis :

— Pour qui se fait-elle belle ?

— D'après toi ?

Il se trémousse, passe une main sur sa figure, visiblement exaspéré par ma présence.

— Je suis venu récupérer mes affaires, lui dis-je.

— Tu n'as pas à te justifier. Tu es libre d'aller où tu veux. Quant à tes affaires, Luis les a remises à ton cousin Félix.

De nouveau, le silence.

Au moment où Pedro menace de s'assoupir, je reviens à la charge.

— Es-tu parvenu à dormir ?

— Comme un loir.

— Moi, j'ai compté les étoiles jusqu'au matin. Aucune ne m'a échappé.

Il exhale un soupir qui rappelle la crevaison d'une roue d'autocar avant de me toiser.

— Que veux-tu, Juan? J'étais bien, il y a cinq minutes. Pourquoi es-tu venu foutre la pagaille dans ma tête?

— Parce que je n'arrive pas à croire que la plus belle page de notre collaboration soit tournée. Pour être franc, jusqu'à ce matin, j'espérais te trouver dans ton bureau.

— Et où suis-je, Juan del Monte?... Je suis sur une terrasse, face à l'horizon, tranquille, et je picole sans emmerder personne. Est-ce que je me plains de quelque chose, moi? bougonne-t-il, la langue pâteuse.

— Ce n'est pas parce qu'on ne se plaint pas qu'on n'a pas mal.

— Je n'ai pas mal.

— On a tous mal lorsqu'on quitte une fonction. Un directeur, quand il a des soucis avec l'Administration, il ne se déplace pas, ne stresse pas : il règle ses problèmes par téléphone.

Pedro se décide enfin à soulever sa carcasse pour me faire face. Ses yeux sont d'une rougeur inquiétante, ses narines se mettent à papillonner.

— Es-tu en train d'insinuer que je suis un apparatchik?

— Non.

— Alors, ne me fais pas chier avec tes piques tordues.

— Je ne cherche pas à t'énerver. Je tente seulement de t'expliquer que ce n'est pas parce qu'ils
ont cédé le Buena Vista que tu es fini. Tu n'as plus
envie d'être...?

— D'être quoi? me coupe-t-il dans un éclat de
postillons. Je n'ai même pas envie d'être moi. Qui
suis-je, au juste? ajoute-t-il, amer. Hier, un patron.
Aujourd'hui, un «ex». Et demain, hein? Je serai
qui, demain?

— Pedro Parveras.

— Et c'est qui, Pedro Parveras?... Écoute, Juan,
halète-t-il. Je t'assure, je n'ai envie de rien, sauf de
boire et de me taire.

Je lève les mains en signe de reddition.

Pedro hèle un garçon et l'envoie nous chercher
des bières.

Nous nous taisons jusqu'au retour du garçon. Le
silence semble nous isoler du reste du monde.
Pedro a les doigts engourdis, il ne parvient pas à
décapsuler sa bouteille; je me propose de l'aider.
Après quelques gorgées, je lui demande :

— Tu seras muté où?

— Je compte prendre ma retraite anticipée.

— Pour faire quoi?

— Pour vivre ma vie, enfin ce qu'il en reste,
plus exactement ce qu'on m'en a laissé. Tu te
rends compte? Passer des années et des années à
se lustrer le cul sur un siège sans savoir que les
choses se font et se défont dans notre dos.

Je ne le crois pas une seconde. Personne, à
Cuba, ne décide de son sort. La retraite anticipée

ne figure pas dans le jargon administratif. Ou on
est recasé ailleurs ou on est bon pour les oubliettes.
J'estime que Pedro est encore rentable pour le
régime, ce qui m'encourage à lui rafraîchir la
mémoire dans l'espoir de l'éveiller à lui-même.

— Tu étais directeur, Pedro. Tu recevais les
grosses légumes, on te conviait aux réceptions
officielles.

— Attrape-nigaud, réplique-t-il dans un soubresaut exacerbé en manquant de m'éclabousser avec
sa bière. Directeur ou geôlier, quand on passe sa
vie dans un pénitencier, on n'est jamais que le forçat d'en face par rapport à celui qui est derrière les
barreaux.

— N'empêche, ton carnet d'adresses est encore
à toi. Tu as des relations solides. Tu es le meilleur
gérant de cabaret.

— Tu en as connu combien dans ta carrière?

Je lui saisis la main qui paraît fondre dans la
mienne tant elle est moite. Il la récupère d'un mouvement brusque.

— Tu ne dois pas raccrocher, Pedro. Trouve-
nous un autre chapiteau, et je te remplirai la galerie
jusqu'au plafond. Nous formons une équipe du
tonnerre, toi et moi. On va *leur* prouver qu'on est
inoxydables.

— Ça ne dépend pas de moi.

— Qu'en sais-tu? Ton ancienneté de directeur
et ta compétence parlent pour toi. Tu n'as qu'à
demander. Exige un hôtel. Un bel hôtel qui donne
sur la mer, avec de la pelouse et des cocotiers, et

des terrasses comme des tapis volants, et des jeunes gars cravatés à la réception, et une salle immense pour les concerts. Dégote-nous ça et je te ramènerai des touristes des quatre coins de la planète. Nous casserons la baraque, Pedro. Je te le promets.

— Je ne veux rien casser. Je veux juste rentrer chez moi retrouver mes gosses et ma femme. Je m'aperçois, sur le tard, que j'ai loupé une bretelle, et que ça a réduit mon aventure humaine à une carrière de bureaucrate fossilisé dans la routine. J'ai envie d'entasser ma petite famille dans mon tacot et de partir sur les routes. Je veux voir du pays, rencontrer d'autres gens, découvrir cette île où je suis né et dont je ne connais pas grand-chose.

— Ton tacot ne tiendrait pas le coup. Nos chaussées défoncées auront raison de ses amortisseurs avant que tu aies refait le plein.

— Je m'en fiche. J'irai à pied s'il le faut, mais je partirai. Et maintenant, s'il te plaît, casse-toi que je puisse cuver mon vin en paix. Si je me suis traîné jusqu'ici, c'est pour être seul.

En sortant du Buena Vista, je mesure la gravité de mon naufrage.

Ne te retourne pas, me dis-je tandis que je m'éloigne du Café.

Je marche en tâchant de garder la nuque droite. Avant de parcourir la moitié de l'avenue, ma volonté rompt et *je me retourne*... Purée ! Mon

« chapiteau » n'est plus qu'un énorme chagrin érigé en stèle au milieu des cocotiers.

Je me souviens d'un film en noir et blanc qui racontait l'histoire d'un taulard qu'on libérait après des décennies de cachot. Le pauvre diable était déboussolé en récupérant au guichet du pénitencier les effets personnels qu'on lui avait confisqués le jour de son incarcération. Il retrouvait sa petite monnaie qui n'avait plus cours, son trousseau de clés inutile, puisque l'immeuble où il résidait jadis avait été démoli, son portefeuille dans lequel jaunissaient des photos aux souvenirs imprécis, et une lettre d'amour écrite à la hâte et jamais expédiée. Sa détresse m'avait fendu le cœur. J'en avais pleuré dans la salle obscure... Aujourd'hui, je suis ce détenu qu'on livre en vrac à Juan del Monte Jonava après trente-cinq années de Don Fuego. Je redécouvre La Havane que mes nuits de fêtard avaient tenue à l'écart ; une Havane aussi flétrie que les photos dans un vieux portefeuille gardé fermé durant des décennies. Les rues sont les mêmes, sauf que j'ignore où elles mènent ; elles sont hantées par les mêmes gens mais pas par les mêmes visages ; les trottoirs se prêtent moins aux promenades, les nids-de-poule sont devenus des cratères et les belles maisons ne se souviennent plus de leur peinture d'origine.

4.

À Cuba, il existe des entreprises étatiques qui s'occupent des artistes. Elles leur trouvent de quoi se consoler pendant une saison ou deux, offrent parfois de vraies opportunités à ceux qui savent les saisir, les surveillent de près quand ils se produisent à l'étranger et les proposent aux festivals qui se déclarent çà et là à l'occasion des fêtes nationales. Il ne s'agit pas tout à fait d'assistanat, mais on n'en est pas loin.

Inscrit dans l'une d'elles qui porte le nom d'Adolfo Guzman, je n'y ai pas remis les pieds depuis des lustres. Dans mon esprit, je ne pouvais pas appartenir à cette catégorie d'artistes qui font la queue tous les matins devant les guichets dans l'espoir de décrocher un passage éclair sur une scène improvisée, avant de revenir le lendemain supplier les sous-fifres de leur accorder une seconde chance, puisque la veille ils ont raté le coche. J'étais Don Fuego, bien vautré sur mon nuage, le micro en guise de sceptre et la tête pétillante d'étoiles, trop près des dieux pour attendre quoi que ce soit des caciques d'ici-bas. Mon statut de vedette au Buena Vista m'épargnant les épreuves de la dépendance administrative, j'étais loin de m'imaginer contraint de franchir le seuil de ces établissements lugubres qui sentent la pénombre moisie et l'angoisse des saltimbanques à la dérive. C'est donc avec un cœur aussi lourd qu'un boulet de forçat que je rejoins les quémandeurs d'emploi qui s'étiolent en silence dans la salle d'attente. Certains visages me sont familiers, mais je suis incapable de mettre un nom dessus.

Je prends place à l'extrémité d'un banc et tente d'afficher un air digne.

L'endroit est déprimant. On se croirait au bureau des objets trouvés.

Un homme sort enfin de chez l'administrateur. La mine déconfite, il traverse la pièce d'un pas courroucé et regagne la rue en bousculant au passage une femme de ménage.

Mon tour arrive au bout d'une heure. L'administrateur est un jeune blond aux cheveux en brosse, l'air d'un moniteur de scouts fraîchement promu et qui se prend déjà pour un meneur d'hommes. Il me reçoit sans le moindre entrain, ainsi qu'il sied à ceux qui font d'une obligation une faveur. Quelques dossiers traînent sur son bureau, à côté d'un téléphone au combiné décroché et d'une vieille machine à écrire déglinguée. Une fenêtre est ouverte sur une courette où deux mioches s'amusent avec un chiot. Rivés aux murs, quelques portraits d'anciennes idoles gardent le sourire, sauf que leur cadre disloqué trahit le peu d'intérêt qu'on leur témoigne de nos jours.

— Asseyez-vous, me prie le jeune homme.

J'obéis.

— Que puis-je faire pour vous ?

— Je...

Il m'interrompt d'une main en extirpant de l'autre son téléphone portable. En reconnaissant son interlocuteur sur le cadran, il fait pivoter son fauteuil pour me tourner le dos. Apparemment, la personne au bout du fil est quelqu'un d'important car le jeune blond n'arrête pas de se gratter derrière l'oreille en alignant les «Bien, monsieur... entendu, monsieur... C'est comme si c'était fait, monsieur». Lorsqu'il raccroche, il passe deux minutes à s'éponger dans un mouchoir avant de pivoter sur son siège, la mine décomposée.

Il peste.

— Un trou-du-cul qui se prend pour le nombril du monde.

Il ne s'adresse pas à moi ; il pense à voix haute, les mâchoires broyant chaque mot. Après s'être pris la tête à deux mains et avoir discipliné son souffle, il constate que je suis toujours là.

— C'est quoi, votre problème, monsieur... ? m'agresse-t-il presque.

— Juan del Monte Jonava.

Mon nom lui passe au-dessus de la tête.

— Don Fuego, précisé-je.

Là non plus, il ne réagit pas.

— Vous êtes dans le théâtre ou dans le cinéma ?

J'ai envie de lui renverser son bureau sur la figure et de m'en aller sur-le-champ.

— Ça fait trente-cinq ans que je chante, jeune homme. Vous arrive-t-il d'assister à des spectacles ?

Il m'apaise de la main.

— Écoutez, on ne va pas se chamailler. Ce poste n'est pas une sinécure. Du matin au soir, j'accueille des talents floués, souvent des cinglés persuadés qu'on les marginalise exprès, des vétérans du spectacle qui ne comprennent pas qu'ils sont passés de mode. Tous arrivent pleins d'espoir comme si je détenais la combinaison de la manne céleste. Ils déversent sur moi leurs aigreurs, puis ils s'en vont en me laissant envasé jusqu'au cou dans leurs frustrations.

— Changez de métier.

— Pour me retrouver à leur place, à chercher une voie de garage où ronger mon frein ?

— Alors, ne vous plaignez pas.

Il farfouille dans un tiroir, en extirpe un paquet de cigarettes, cherche un briquet en vain, s'excuse et va dans la salle d'attente demander du feu. Il revient en rejetant nerveusement la fumée par les narines.

— Vous êtes adhérent chez nous ?

— Depuis la création de l'entreprise.

Il sonne une demoiselle pour qu'elle lui apporte mon dossier. En attendant, il s'empare d'un stylo et inscrit mon nom sur une feuille jaune.

— Ajoutez «Don Fuego», s'il vous plaît. Je suis plus connu sous ce surnom. J'ai chanté pour

Fidel, Leonid Brejnev et d'autres décideurs inter-
nationaux. Pour être franc, je suis offusqué par
votre manque de professionnalisme. Lorsqu'on
s'occupe des artistes, on doit au moins suivre un
peu leur actualité. Demandez à n'importe quel tou-
riste qui est Don Fuego et il vous sort tout de suite
son portable pour vous montrer la photo qu'il a
prise à mes côtés.

— Je gère des centaines de dossiers, se justifie-
t-il d'un ton las. J'ai reçu dans ce modeste bureau
des légendes incarnées qui ont émerveillé toute
une génération et que personne ne reconnaît plus
aujourd'hui. Il y a à peine trois semaines, un
immense maestro dont je tairai le nom par correction était assis sur la chaise que vous occupez. Il
pleurait, monsieur Jonava. Il pleurait comme une
veuve.

— Je ne vois pas le rapport.

— Ce que je tente de vous dire est que quelle
que soit votre notoriété, elle ne vous appartient
pas. Toute célébrité n'est que le fruit d'une
conjoncture. Le public est versatile. Aujourd'hui,
il vous acclame. Demain, il en acclamera un autre
et ne se donnera même pas la peine de vous ranger
dans un tiroir. Sans crier gare, vous voilà livré à
vous-même sans savoir ce que vous êtes en train
de devenir.

La demoiselle réapparaît, une chemise cartonnée
décolorée à la main.

L'administrateur parcourt les quelques feuillets
qui constituent mon dossier, se gratte le sommet

du crâne, griffonne quelque chose sur la feuille jaune.

— Vous résidez toujours à la même adresse ?

— Plus maintenant. J'habite chez ma sœur, à Casa Blanca.

Il note ma nouvelle adresse, mon numéro de téléphone, prend un maximum d'informations sur ma personne, mes vœux, mes options, mes prédispositions immédiates.

— Seriez-vous d'accord pour bosser dans une autre ville ?

— Ma place est à La Havane.

— Pas même à Santiago de Cuba ?

— Pas même à Las Vegas. La Havane est mon sanctuaire. C'est ici que je suis monté pour la première fois sur scène et c'est ici que je veux finir ma carrière.

Il acquiesce.

— Hier soir seulement, je mettais le feu au Buena Vista. Le cabaret vient d'être cédé à une grosse fortune. L'information n'a pas encore atteint sa vitesse de croisière. Dès que certains gérants l'apprendront, mon téléphone ne va plus arrêter de sonner. Je suis très connu dans le milieu. On va se battre pour me recruter.

— Dans ce cas, pourquoi vous êtes-vous donné la peine de venir dans mon bureau ?

— C'est la procédure. En même temps, je ne veux pas être embauché par n'importe qui, et vous êtes mieux placé pour savoir qui me mérite et qui ne me mérite pas. J'ai besoin de travailler dans un cadre qui sied à mon talent et à ma réputation. Par exemple, ça me botterait de me produire au Yara.

Il repose soudain son stylo et se lève pour me raccompagner. C'est à peine s'il ne me bouscule pas.

— Je ne vous promets rien, mais je ferai mon possible pour vous dégoter *un cadre qui sied à votre talent.*

Il me tend la main en ouvrant la porte de l'autre. Son étreinte est molle et son regard convoque déjà la personne suivante. Mon intuition me dit que notre sauveur de pacotille n'a pas plus de mémoire qu'un poisson rouge et que, dès que j'aurai quitté son bocal, il m'oubliera, mais je suis contraint de lui sourire et de le remercier à défaut de lui graisser la patte car, à Cuba, qui ne porte pas la main à sa poche est un manchot – il peut toujours courir, il n'ira pas plus loin qu'un cul-de-jatte.

— Tenez bon, Jonava. Ayez confiance en moi. Je vous sortirai de l'impasse.

— Attention, vous êtes en train de me faire une promesse, là.

Il ne me dit pas au revoir. De toute évidence, ce petit fonctionnaire de bas étage est trop habitué aux courbettes et aux complaintes pour supporter mon amour-propre qu'il perçoit comme une insolente fatuité. Pour lui, je ne suis qu'un «trou-du-cul qui se prend pour le nombril du monde», moins influent peut-être, mais tout aussi chiant.

J'ai erré dans la ville à perdre haleine. L'esprit en déroute. Je ne voyais ni les rues ni les tacots qui

se pourchassaient sur l'avenue. Je crois m'être
arrêté dans un troquet, mais j'ignore si j'ai commandé ou consommé quelque chose.

Le rictus de l'administrateur balafre mon horizon, pareil à la barrière d'un poste de contrôle,
sauf que je ne contrôle rien.

Je m'aperçois que, hormis Pedro Parveras, je ne
connais personne susceptible de me recaser quelque
part. Mes amis tirent le diable par la queue, mes voisins sont des petits gradés qui ont du mal à joindre
les deux bouts, le Délégué de mon quartier ne rend
même pas service à ses proches.

J'ai clopiné sur des trottoirs qui n'en finissaient
pas, traversé des chaussées sans me soucier des
coups de klaxon qui m'invectivaient, puis, fatigué
de racler les trottoirs, je suis allé sur le bord d'une
rivière me rafraîchir l'esprit.

J'ai passé la journée enfoui dans les broussailles,
à me demander qui de l'arbre ou de moi était le plus
immobile, et qui des ombres ou de mes pensées
obscurcissaient la forêt.

Sur la berge, un petit bonhomme en prière a
égorgé un poulet en guise d'offrande et s'adonne
à son rite sacrificiel, la figure tendue comme une
crampe. Ce genre de pratique a atteint des propor-
tions alarmantes, ces dernières années. Tous les
matins, de plus en plus de gens viennent convoquer les divinités qu'ils ont eux-mêmes créées de
toutes pièces entre une hallucination opiacée et
une démence suicidaire.

À La Havane, Dieu n'a plus la cote. Dans cette ville qui a troqué son lustre d'autrefois contre une humilité militante faite de privations et d'abjurations, la contrainte idéologique a eu raison de la Foi. Après avoir épuisé l'ensemble des recours adressés au Père de Jésus, et ce dernier s'étant inscrit aux abonnés absents, les quêteurs de miracles se sont déportés sur l'esprit de leurs ancêtres. Ils trouvent moins hasardeux de confier leurs vœux aux prêtres et aux charlatans que de solliciter les prophètes plus occupés à entretenir leurs jardins d'Éden qu'à prêter attention aux damnés d'ici-bas.

Vers le soir, d'autres souffre-douleur se sont amenés avec leurs bêtes sacrificielles. Certains ont supplié Yemanja, déesse de la mer, de mettre un peu de lumière dans leur nuit, d'autres ont chargé Oshún, dieu du fleuve, de les laver de leurs péchés, remuant ainsi les gènes d'une Afrique lointaine et omniprésente à la fois, aussi ancienne et éternelle que les déités nées dans la misère de la brousse et que ne surplomberont ni les astres ni les satellites tant que le malheur restera le frère jumeau de l'espoir le plus fou.

J'ai assisté à des cérémonies aussi saugrenues les unes que les autres, tapi dans mon coin, puis, lorsque les incantations se sont perdues dans le bruissement de la forêt, je suis sorti de l'ombre comme d'un écran de fumée et je suis allé sur la plage voir se noyer au large un soleil rouge de honte de ne pas savoir nager.

5.

J'ai attendu la nuit pour rentrer à Casa Blanca.

En rasant les murs comme un voleur.

Je suis d'abord passé voir mon meilleur ami, Panchito, qui habite une vieille baraque au pied de la colline que veille un Christ sans ouailles.

Panchito vit avec Orfeo, son chien alcoolique, au milieu d'un tas de bouquins et de chiffons. À quatre-vingt-cinq ans, ce parangon de renoncement n'attend rien des lendemains ni de la mort. Parti gamin des *patios des solares* avec juste un froc rafistolé et un bout de rêve de musicien en bandoulière, il devint une légende vers la fin des années 1940. Trompettiste hors norme, il s'était produit dans le monde entier, de Mexico à Sydney et de Chicago à Paris, avait connu Louis Armstrong, Enrico Caruso et Dean Martin, joué pour Xavier Cugat, disposé d'une suite au Waldorf-Astoria, s'était amouraché de Rita Hayworth et avait fréquenté princes et bootleggers rangés sans perdre une seule flammerole de son aura. Certains avaient

tenté de l'acheter, d'autres, comme Frank Sinatra,
lui avaient proposé une fortune pour qu'il les accom-
pagne en tournée; Panchito déclinait les offres et les
compromis pour tracer son propre chemin et ne
devoir sa gloire qu'à son talent. C'était l'époque
où les truands portaient des costards sur mesure
sans un faux pli sur les manches et ôtaient leur
chapeau sur le passage des dames avant de mettre
les arrière-boutiques à feu et à sang, où les caïds
s'érigeaient en notables aux premières loges des
opéras pendant que leurs seconds couteaux se
débarrassaient des indésirables dans les règles
de l'art – l'époque bénie des casinos effervescents
et des cuites carabinées, des maîtresses à gogo et
des cocus consentants. Puis le vent a tourné, et
Panchito a dégringolé de son Olympe plus vite
qu'une enclume lâchée dans un précipice. Certains
pensent que c'est à cause d'une idylle tragique,
d'autres racontent qu'il avait couché avec la maîtresse d'un parrain sicilien avant de rentrer ventre
à terre à Cuba mettre sa tête à l'abri. Depuis qu'il a
divorcé d'avec sa trompette, Panchito se laisse
aller. De l'aube jusque tard dans la nuit, il est rond
comme une barrique, seul avec son chien, ses fan-
tômes sur le dos et la tête pleine de gâchis. Il élève
des poulets qu'il vend au marché noir, fume des
cigarettes qu'il roule lui-même et cultive son
jardin potager pour continuer de ne rien *devoir à
personne*.

Quand bien même il ne serait qu'un souvenir
orphelin de son épopée, pour moi, Panchito demeure

le plus grand trompettiste que l'humanité ait engendré.

Je le trouve sur le pas de sa baraque, tassé au fond de sa chaise à bascule, son chien affalé à ses pieds.

— Tu rentres tôt ce soir, me lance-t-il.

— J'ai reporté mon concert à la semaine prochaine.

— Tu peux faire ça, toi?

Il verse un peu de rhum dans une casserole en aluminium dans laquelle son chien se met aussitôt à laper.

— Il va choper une cirrhose, ton chien.

— Il a un nom, mon chien.

— Tu devrais le ménager. Il ne sait plus tenir debout.

— Essaye de l'empêcher de boire et on va voir s'il est capable de camper sur ses pattes ou pas.

Il passe son pouce par-dessus son épaule.

— Je t'ai laissé un peu de haricots noirs et une côtelette de porc.

— Je n'ai pas faim.

Il hausse les épaules, se penche sur le côté pour me dévisager.

— Alors, comme ça, tu as reporté le concert prévu pour ce soir?

— J'ai le droit de faire une pause de temps en temps, non?

Panchito m'adresse un sourire qui a la fâcheuse manie de me déconcerter. Il regarde d'abord son chien finir de lécher la casserole, ensuite, croisant les doigts derrière sa nuque, il tend les jambes dans ma direction.

— Sais-tu comment mon père s'est ruiné, mon pauvre Juan ? Il achetait toujours le gazon avant le terrain. Et quand il dénichait enfin le terrain, son gazon était fichu. Alors, il revendait le terrain pour renouveler son stock de gazon, et ainsi de suite jusqu'à la faillite.

Je tente de méditer son histoire ; je ne lui trouve ni sens ni morale.

— Qu'avez-vous tous, aujourd'hui, à me soûler avec des allusions dont je ne vois pas le rapport avec ma situation ?

— Et pourquoi, toi, tu ne craches pas le morceau ?

— Quel morceau ?

Il hoche la tête, les lèvres lourdes.

— Ce matin, ta sœur est venue me demander si tu avais passé la nuit chez moi. Ton cousin, le chauffeur de taxi, l'avait appelée pour lui signaler que tu n'étais pas bien, hier, en quittant le Café...

— De quoi se mêle-t-il, Félix ?

— C'est ton cousin. Il s'inquiète pour toi.

— Il n'y a pas de raison.

De la main, il me prie de me calmer.

Après m'avoir longuement fixé de ses yeux gris, il lâche :

— Tout le monde à Casa Blanca est au courant pour le Buena Vista.

Pendant d'interminables minutes, je reste sans voix.

J'ignore si c'est pour me voiler la face ou pour ne pas avoir à parler la bouche pleine, j'entre dans la baraque chercher le repas que Panchito gardait pour moi.

J'habite chez ma sœur Serena, dans une maison qui a dû être somptueuse naguère avant de tomber sous le régime des biens vacants. En réalité, nous sommes douze personnes à vivre sous le même toit : Serena, Javier, son mari, et leurs trois enfants ; Pilar, la sœur de Javier, son époux Augusto et leur bébé ; Lourdes, une cousine venue de la campagne soigner son arthrose et qui oublie de rentrer chez elle ; Ricardo, mon fils de dix-huit ans, et moi.

À La Havane, les familles vivent à plusieurs dans un même appartement. Depuis 1959 et la révolution castriste, la population a centuplé, mais la ville n'a pas bougé d'un poil, comme si une malédiction la retenait captive d'un passé aussi flamboyant que l'enfer.

— J'ai failli mourir d'inquiétude, s'écrie ma sœur Serena dès que je franchis le seuil de la maison. Félix t'a cherché partout. J'ai été obligée de déranger Panchito à six heures du matin pour savoir si tu étais chez lui.

Je ne lui réponds pas et vais m'attabler dans la cuisine.

Serena me laisse m'installer. Elle s'assoit en face de moi, prend ses joues dans le creux de ses mains, me dévisage.

— Tu aurais pu appeler.

— Je n'étais pas bien.

— Raison de plus. J'étais à deux doigts d'ameuter le quartier. J'ai pensé au pire quand Panchito m'a dit qu'il ne t'avait pas vu depuis trois jours.

— J'avais besoin de me dégourdir les jambes et les idées, c'est pourquoi j'ai préféré rentrer à pied.

— Oui, mais tu n'es pas rentré. Où as-tu passé la nuit ?

— Dans ma tête.

Elle me saisit par les poignets, les yeux débordant de tendresse. Elle me prenait toujours ainsi, naguère, lorsqu'elle se préparait à m'annoncer une mauvaise nouvelle.

— L'important est que tu sois là. Tu veux manger quelque chose ? Il me reste deux ou trois bricoles sur le réchaud.

— Sers-moi un verre.

Elle pousse une bouteille dans ma direction, sans me quitter des yeux.

— C'est vrai que le Buena Vista ferme ?

Je manque d'avaler ma gorgée de travers.

Après m'être essuyé dans un torchon, j'avoue :

— C'est vrai.

— Il tournait à merveille, pourtant.

— Les capitalistes font ce qu'ils veulent de ce pays. Il suffit d'exhiber une liasse de dollars pour s'offrir la nomenklatura au complet.

— Ne dis pas ça. Ce n'est pas la première fois qu'on cède un cabaret à des particuliers.

— Le Buena Vista n'est pas n'importe quel cabaret. À une époque, c'était le tremplin de la gloire. Tu t'y produisais une fois et tu te surprenais à tutoyer tes idoles. C'est au Buena Vista que Batista choisissait ses maîtresses...

Elle opine du chef, soucieuse.

— Que comptes-tu faire, maintenant ?

— Éviter que la batterie de mon mobile ne tombe à plat. Parce que ça va sonner tous azimuts. Les gérants vont s'étriper pour m'avoir.

Elle m'assène une petite tape sur la joue.

— Contente de constater que tu gardes le moral.

— C'est tout ce qui me reste, Serena.

— C'est faux. Je suis là, moi. Je me faisais des soucis pour toi.

— Tu as eu tort. Tu es mieux placée pour savoir que je suis indéboulonnable.

— J'adore ton optimisme. Mais, de grâce, la prochaine fois que tu te dégourdiras les jambes et les idées, tâche de te rappeler que tu as un téléphone sur toi.

— Promis.

Mon verre à la main, je m'aventure dans le salon. D'habitude, toute la famille s'y rejoint, et ça fait un boucan de tous les diables. On se parle les mains en entonnoir autour de la bouche, et encore on n'est pas sûrs de se faire entendre. Mais depuis que Javier, en maître de céans absolu, a commencé à gâcher les joies des uns et des autres avec ses crises de nerfs et ses allusions blessantes, chacun préfère se mettre à l'abri dans sa chambre.

Ce soir, recouvrant son territoire et sa souverai-
neté, Javier se prélasse dans son fauteuil avachi, un
pied sur une table basse, la prothèse contre l'accoudoir et un bout de couverture par-dessus sa
jambe amputée. Je n'ai pas besoin de le saluer; il
ne répond plus aux politesses. Il est là, la bouche
ouverte, si fasciné par le minuscule écran de son
téléviseur portatif qu'il n'entendrait pas la défla-
gration d'une bombe dans la pièce d'à côté. Le dos
voûté, les tempes dégarnies, il a choisi de vieillir
dans son coin, cigarette au bec, inattentif à ce qui
se passe autour de lui. Serena a depuis longtemps
renoncé à l'éveiller à lui-même. Javier, désormais,
n'est qu'un meuble parmi d'autres; il a oublié
jusqu'aux prénoms de ses enfants.

Je demeure quelques minutes debout à côté de
mon beau-frère, regarde le film en noir et blanc à la
qualité d'image consternante, puis je monte au premier rejoindre ma chambre que je partage avec mes
trois neveux. Ces derniers occupent déjà les lieux.
Absorbés par leur partie de pesca, ils surveillent
leurs cartes en se charriant sans faire attention à
moi; je comprends que je suis rentré trop tôt.
Soudain, je m'aperçois qu'ils sont assis sur mes
vêtements.

— Vous n'avez de respect pour rien.

Mes neveux se retournent d'un bloc, les sourcils
froncés.

— Vous êtes en train de vous torcher avec mes
costumes de scène, bon sang. Des costumes de

marque, avec des griffes pas possibles, et qui viennent de Paris.

— Désolés, on ne les a pas vus.

— Vous arrive-t-il de voir quelque chose ?

Ils se contentent de pousser mes habits sur le rebord du lit et poursuivent leur partie de cartes sans m'accorder d'intérêt. Mon sang ne fait qu'un tour, mais je n'ai pas la force de me mesurer à qui que ce soit.

Je me suis toujours ennuyé dans cette maison où il me faut écarter dix personnes pour accéder à une bouffée d'air. Maintenant que je n'ai plus de travail, je me demande si je suis capable d'y vivre à plein temps. Avant, j'y débarquais tard dans la nuit, sur la pointe des pieds pour ne pas réveiller mes « colocataires ». Mes neveux dormant à poings fermés, je pouvais me déshabiller dans le noir et me glisser sous les draps. Désormais, je suis contraint d'attendre que les lumières s'éteignent pour espérer avoir un minimum d'intimité.

Avec chagrin, je lisse mes complets, mes vestes aux couleurs vives et mes chemises satinées, les range dans le placard, reprends mon verre et retourne au rez-de-chaussée.

— Tu aurais pu mettre mes costumes de scène à l'abri, dis-je à Serena dans la cuisine. Tes gamins étaient assis dessus.

— Ils s'assoiraient sur mon corps qu'ils ne s'en rendraient pas compte.

— Tu devrais leur tirer l'oreille de temps en temps, si tu veux mon avis.

— Ça ne servirait à rien. De toute façon, ils n'écoutent pas. Les enfants sont ainsi faits. Petits, on a envie de les dévorer. Grands, on regrette de ne pas les avoir dévorés. Demain matin, sans faute, je repasserai tes vêtements.

— Surtout pas. J'ai horreur que l'on touche à mes complets. C'est moi-même qui m'en charge.

Elle cesse d'essuyer la table pour me faire face.

— Juan, s'il te plaît, ne cherche pas des poux aux chauves. Tu as perdu ton boulot, tu en trouveras un autre.

— Tes gaillards piétinent mes affaires, et je ne dois pas m'emporter, c'est ça?

— Puisque je te dis que je m'en occupe.

Je hoche la tête, peiné, pose mon verre dans l'évier et sors dans la rue. Serena tente de me rattraper. Je la prie de me laisser tranquille et dévale le chemin qui mène à Bahia de la Habana, une saillie de la mer aux allures de fleuve séparant la vieille ville de sa banlieue est.

Il y a, à deux pas de la station maritime de Casa Blanca, un tramway vert. Il est là depuis des années, figé dans sa panne qui en dit long sur certaines idéologies. Un plaisantin l'a baptisé «La révolution». Son impertinence lui a coûté un long séjour en prison.

Que dire du tram vert sans courir de risque sinon qu'il est obstinément là, oublié des hommes, telle une ruine sans référence livrée aux bourrasques et aux canicules. Les rails, qui lui permettaient de *rouler des mécaniques*, ne sont plus que deux

misérables balafres dans l'asphalte ; par endroits, il
n'en subsiste qu'un hypothétique scintillement
d'acier que la poussière et la crasse recouvrent à
l'envi. J'ai jeté mon dévolu sur cet amas de fer-
raille depuis mon installation dans le quartier. Au
début, dépaysé, je prenais place sur la banquette du
fond et j'essayais de faire le deuil de mon divorce.
Ensuite, à cause des concerts tardifs, il m'arrivait
d'y attendre le lever du jour pour rentrer à la maison. Javier, qui a le sommeil léger, ne supporte
plus de m'entendre marteler le parterre avec mes
souliers cloutés à des heures impossibles.

Ce tram en question sied à mes états d'âme. Son
silence me berce, la quiétude de son enfermement
me rend à moi-même ; on dirait un sarcophage
rejeté par les flots avec un tas de mystères jamais
élucidés. J'aime m'étendre sur la banquette et, les
mains derrière la nuque, fixer le plafond cuivré
comme un ciel de pluie, sans penser à rien de particulier. Parfois, je prends place au beau milieu du
compartiment et, le nez contre la vitre, je m'imagine traverser des pays inconnus. Une seule fois, je
me suis mis à la place du conducteur, mais je n'ai
pas réussi à m'évader ; devant moi, la détresse des
rails a rompu l'élan de mes rêveries.

Ce soir, je suis monté dans le tram comme sur
un échafaud, incapable de savoir si j'étais le bourreau ou la victime.

Je suis resté sur la banquette du fond jusqu'au
matin, semblable à une arrière-pensée que l'on
rumine sans parvenir à la digérer.

6.

Parce qu'elle est mon aînée de trois ans, Serena oublie parfois que je vais sur mes soixante printemps.

Certes, nous sommes très proches l'un de l'autre, sauf qu'en me serrant de trop près, elle ne se rend pas compte qu'elle m'étouffe.

Notre mère est morte dans un accident de voiture. Un dimanche ensoleillé. Je me souviens, nous avons gambadé dans les champs toute la journée, ma sœur et moi, grimpé dans les arbres, cueilli des fruits sauvages par paniers et exécuté des acrobaties en nous accrochant aux branches. Ma mère a étalé une nappe blanche sur l'herbe, tandis que mon père s'occupait des grillades. La plaine était remplie de nos cris d'enfants et de gazouillis. C'était un jour merveilleux; pas une fausse note ne chahutait notre ivresse. Vers le soir, nous avons sauté dans notre voiture pour rentrer à la maison. À une bretelle, un tracteur a jailli d'une plantation sans regarder à droite ni à gauche. Mon père n'a pu l'éviter, et nous avons fini dans le fossé. Nous nous en sommes sortis, mon père, ma sœur et moi avec quelques bosses. Ma mère, elle, est restée couchée contre la portière, les yeux écarquillés; sans le filet de sang pendouillant de son oreille, on l'aurait crue amusée par quelque chose d'étonnant.

Mon père n'a pas réussi à faire son deuil. Il s'est mis à boire; je l'entendais souvent pleurer derrière la maison, enfoui dans un pan de la nuit. Un matin, deux agents sont venus frapper à notre porte. Serena avait quinze ans. Après le départ des policiers, elle est montée dans ma chambre, m'a pris doucement par les poignets. « Ça va aller. Maman n'est plus seule, maintenant », m'a-t-elle chuchoté en m'enlaçant comme si elle redoutait que je disparaisse à mon tour.

Elle ne m'avouera le suicide de mon père que trois jours plus tard.

Une tante a proposé de nous recueillir, ma sœur et moi. Nous n'avons pas été heureux chez elle. Serena a fait exprès de se marier très jeune pour m'offrir un vrai foyer. Elle a d'abord épousé un ivrogne qui me battait, ensuite Javier, un sergent de l'infanterie qui s'en est allé guerroyer en Angola avant d'en revenir avec plein de médailles et une jambe en moins.

Serena a le cœur sur la main. Sa maison est ouverte à l'ensemble de la famille. Pas une fois elle n'a fait une remarque désobligeante à ses hôtes malgré la modeste pension de son handicapé d'époux et le peu d'aide que nous lui apportons.

Il y a quatre ans que je vis chez elle – depuis mon divorce.

Avant, je résidais à Regla, un village religieux à un jet de fronde de La Havane. J'étais marié à Elena et je suis père de deux enfants, Ricardo et Isabel, de six ans sa cadette. Je me faisais une idée assez simple de la vie conjugale ; ma famille était un acquis, mon public, une conquête ; mon foyer était ma caverne de troglodyte, la scène, mon terrain de chasse car il me fallait nourrir mes enfants. Elena n'était pas de mon avis : « Tu fais le bonheur des fêtards en gâchant le mien, hurlait-elle. Je te hais, je te hais. Rends-moi ma liberté. » Elena ne comprenait pas qu'un artiste, ça se partage. Pour elle, je n'étais qu'un épouvantail narcissique qui ne pensait qu'à lui et dont la famille se réduisait à un accessoire, une formalité, une garniture. Lorsque je rentrais tard, elle reniflait ma chemise en quête d'un parfum de femme suspect. Elle m'avouait qu'elle avait passé la nuit à maudire le jour où nos chemins s'étaient croisés. Un soir, elle m'avait attendu dans la cuisine, blême, les pommettes tressautant de rage intérieure : « On est quel jour, Juan ? – Mercredi. – Quelle date ? – Le 24 avril, je crois. – Ça ne te dit rien ? – Pourquoi ? Tu penses que j'ai un concert aujourd'hui ? » Elle s'était levée, la mort dans l'âme : « Tu vois ? Tu ne penses qu'à toi. » Elle ne m'avait plus adressé la parole. Cinq minutes après, je m'étais frappé le front avec le plat de la main : le mercredi 24 avril était le jour d'anniversaire de notre fille.

Le divorce a été prononcé sans que j'aie pu placer un mot.

Ma femme s'est remariée sans tarder – je ne réalisais pas encore ce qu'il m'arrivait. Elle a épousé un voisin, douanier à l'aéroport, d'où il ramenait plein de produits saisis et détournés par ses soins. Elle paraissait heureuse avec son bon Samaritain qui la couvrait de petits cadeaux sans traçabilité. Notre fils Ricardo ne l'était pas. Il séchait les cours, traînait dans les rues, fréquentait des garçons louches. Sa mère cumulait les problèmes à cause de lui ; elle a fini par me l'expédier – sans le mode d'emploi.

J'ignore par quel bout prendre mon fils. Il ne sait rien faire de ses mains et ne sollicite ses neurones qu'une fois sur cent. Afin de l'occuper, je lui ai acheté un bicitaxi (une sorte de triporteur flanqué d'une banquette arrière à deux places et d'une toiture rudimentaire que les touristes affectionnent), mais jusqu'à présent, je ne l'ai vu transporter personne. D'après Serena, Ricardo se lève à neuf heures, rejoint le trottoir d'en face et reste assis sur un morceau de carton jusqu'au passage du facteur. Lorsqu'il constate qu'il n'y a pas de courrier pour lui, il se volatilise durant la journée pour ne réapparaître qu'au dîner, qu'il ingurgite vite fait, avant de retourner glander dans les tripots. Les blattes et les rats sont à deux doigts de venir à bout de son bicitaxi. J'ai voulu savoir quel genre de courrier mon fils attendait. Serena a haussé les épaules en signe d'ignorance. J'ai pensé

que Ricardo avait peut-être l'intention de s'enga-
ger dans l'armée et qu'il guettait ainsi la fameuse
convocation qui ferait de lui un soldat responsable
et discipliné, mais chaque fois que je lui énumérais
les avantages que l'armée offre à ses recrues, il
ricanait en secouant la tête, l'air de me prendre
pour un attardé. À la longue, j'ai laissé tomber.
Nous sommes, mon fils et moi, deux parfaits
étrangers.

7.

Sans la musique, je ne suis qu'un écho anonyme lâché dans le vent. Je n'ai plus de veines, et donc plus de sang; je n'ai plus d'os pour tenir debout ni de face à voiler.

Sans les feux de la rampe, j'habite la nuit, une nuit sans étoiles, sans rêves et sans lendemain. La peau que le serpent abandonne à l'issue de la mue me paraît moins à plaindre que la loque que je suis en train de devenir.

Six semaines et trois jours à attendre *le* coup de fil salutaire; mon téléphone se terre dans ma poche et fait le mort.

— J'ai dû louper une prière, dis-je avec amertume à Panchito.

— Je n'en fais jamais et je me porte comme un charme.

Son apathie m'horripile.

— Est-ce qu'il t'arrive de croire en Dieu?

Il ébauche une moue.

— Je ne crois qu'en un seul Dieu, unique et incontestable, celui qui fait et défait toutes choses en ce monde : le Temps. Et il ne reconnaît qu'un prophète digne de lui : le hasard.

J'ai frappé à toutes les portes ; hôtels, salles des fêtes, restaurants, cabarets... Je ne demandais pas de traitement de faveur ; j'étais prêt à jouer les doublures – « On vous appellera au cas où il y aurait une défection », me promettait-on. « Bien sûr qu'on te connaît, voyons. Qui ne connaît pas Don Fuego, le pyromane magique ?... » Ils avaient l'air sincères lorsqu'ils me servaient à la louche ce genre de flatteries, mais je n'ai pas apprécié leur façon de me taper sur l'épaule comme si je venais de perdre un être cher. Je me disais : l'important est d'avoir une touche ; une fois recruté, je leur montrerai de quoi je suis capable – après, j'exigerai un traitement de star et personne ne fera la fine bouche.

Rien.

Pas un signe.

Tous les jours, je m'oblige à passer devant les établissements sollicités dans l'espoir d'être hélé ; on me regarde rôdailler aux alentours sans me remettre. J'ai dû piétiner ma petite fierté pour retourner au siège d'Adolfo Guzman et rappeler au chargé des artistes son engagement ; le jeune fonctionnaire blond, qui fumait sur le balcon de son bureau, m'a fait non de la main dès qu'il m'a repéré dans la rue, m'obligeant à rebrousser chemin avant que j'aie franchi le seuil de l'édifice.

J'étais dans le tramway en panne près de la station de Casa Blanca à me morfondre, quand, d'un coup, ça a fait tilt dans ma tête : Orimi Anchia ! Comment n'y avais-je pas pensé plus tôt ? C'est fou comme souvent nous cherchons ailleurs ce qui est à portée de main.

Orimi Anchia gère l'Esmeralda ; il pourrait me donner un coup de pouce, lui.

Il y a plus de cinq ans que l'on s'est perdus de vue. Nous étions très amis, à l'université, autrefois, du temps de nos vingt ans. Nous partagions la même chambrée, nous avions sur le dos les mêmes casse-pieds et nous aimions la même fille, Mercedes, une créature sublime et gentille comme une caresse. À l'époque, Mercedes avait une légère préférence pour moi, parce que j'étais le plus drôle, mais Orimi n'était pas le genre à lâcher prise. Pendant que je sacrifiais mes heures perdues à m'exercer à la rumba avec des groupes de jeunes surdoués, Orimi comblait la solitude de mon égérie, jusqu'au jour où il lui glissa la bague au doigt. Je n'avais rien vu venir. Le soir de leur mariage, tandis que l'ensemble de nos camarades s'attendait à ce que je fasse une fracassante crise de jalousie, j'avais chanté pour les deux tourtereaux jusqu'à l'aube. Au cours d'une pause, Mercedes était montée sur l'estrade et m'avait embrassé sur les joues. Orimi m'avait lancé un baiser du fond de la salle pour me dire combien mon fair-play m'avait grandi dans son estime.

Je suis ainsi fait : je rends heureux les gens, et plus encore mes amis. (Elena ne comprenait rien à ma vocation.)

Je croisais Orimi par hasard, à l'occasion d'un concert ou d'un séminaire ; nous nous invitions à prendre un café avant de nous séparer sans avoir vidé nos tasses. Orimi paraissait de plus en plus gêné en ma présence. J'avais beau lui prouver que je ne lui en voulais pas, que l'amour est seul souverain, que Mercedes avait le droit de choisir l'homme de sa vie, Orimi évitait le sujet et me parlait de choses qui ne concernaient ni lui ni son épouse ni moi. Peu à peu, nos chemins s'éloignèrent l'un de l'autre ; le mien, à cause de mes concerts, le sien, à cause de ses fréquentes mutations. Il n'est pas venu à mon mariage. Il ne m'a pas envoyé de carte de vœux, non plus. C'est vrai, il ne tenait pas en place. Il a été à Pinar del Río, Santa Cruz del Sur, Bayamo, alors que je m'enracinais au Buena Vista, au cœur d'une Havane dont je ne connaissais que les nuits fauves et les interminables grasses matinées.

C'est Panchito qui m'a signalé qu'Orimi était de retour et qu'il avait pris du galon, puisqu'il a été nommé directeur de l'Esmeralda, une salle des fêtes très courue par les notables de la Quinta (Cinquième Avenue) et leurs rejetons. Au début, je n'y ai pas prêté attention. Je carburais au Buena Vista et je ne manquais de rien. Maintenant, ça me revient comme une bouffée d'air à l'issue d'une insoutenable apnée.

À huit heures tapantes, je commence par arpenter le parc derrière la Quinta, un boulevard où crèchent les grosses pointures du régime et que les automobilistes doivent traverser à plus de quatre-vingts kilomètres à l'heure s'ils tiennent à ne pas subir les ires des gardiens du temple et à éviter les contraventions. L'Esmeralda s'étend sur l'aile nord du parc, non loin d'une plage caillouteuse que camouflent des fucus géants. On peut voir la salle des fêtes à travers un grand portail coulissant, avec ses larges baies vitrées et ses arcades fleuries. Fidel et sa cour s'y manifestent de temps à autre à l'occasion d'un mariage ou d'un anniversaire. Je ne me souviens pas d'y avoir mis les pieds une seule fois depuis que je suis né, mais je ne désespère pas de m'y produire un soir. J'ai déjà chanté, sous d'autres chapiteaux, pour les décideurs de Cuba et ils m'ont paru enchantés par mon talent. Un ministre a même pris mes coordonnées, mais ça fait si longtemps qu'il a dû oublier, ou peut-être qu'il est mort.

Vers midi, le gardien vient enfin me chercher dans le troquet d'à côté où je n'en finis pas d'avaler café sur café pour tempérer mon impatience.

— Le patron te prie de passer le voir vers dix-sept heures.

— Pourquoi pas maintenant ? Tu as sûrement écorché mon nom. C'est un ami de longue date. Il ne peut pas me faire attendre.

— Il a une délégation étrangère sur les bras.

Je suis allé sur le front de mer tuer le temps. Mais on ne tue pas le temps, on s'en accommode.

En passant devant l'hôtel qui avait appartenu à Lucky Luciano, j'ai pensé à mon père et je me suis demandé si son objection de conscience ne résultait pas de ce qu'il avait dû voir et entendre dans la brume traîtresse des milieux interlopes où souvent la vie d'une personne ne valait guère plus que le prix d'une cartouche.

Sur l'esplanade, des touristes se prennent en photo, bruyants comme des forains. Je m'approche, espérant que quelqu'un me reconnaisse. J'ai besoin de croire que ma légende ne s'est pas émoussée.

Les touristes n'ont d'yeux que pour eux-mêmes. Ils posent à tour de rôle, par couples et en solo, adressent grimaces et sourires à leurs objectifs respectifs. Ils sont contents dans leurs habits d'été, avec des fleurs géantes sur la chemise et de vastes chapeaux sur la tête. Leur âge oscille entre soixante-dix et quatre-vingts ans, mais ils ont l'enthousiasme d'une bande de scouts ; je suis presque triste de les voir s'éloigner en m'ignorant.

Soudain, un vieillard momifié dans un costume en lin se retourne et me considère, les paupières mi-closes. Il retient sa compagne par le bras, lui murmure quelque chose en me désignant du menton. Le reste du groupe s'aperçoit que le vieillard et sa compagne ne suivent pas. En s'arrêtant pour les attendre, une dame s'écrie :

— Ce n'est pas le chanteur du Buena Vista, là-bas ?

Je lui souris pour confirmer.

Aussitôt l'ensemble du groupe revient sur ses pas.

— Oui, je le reconnais, c'est lui. Regardez, il a une queue-de-cheval.

— Il est aussi beau en ville que sur scène, minaude une grosse courtaude en short de safari.

— Est-ce qu'on peut se prendre en photo avec vous, monsieur ?...

— Don Fuego, leur rappelé-je en dandinant légèrement sur place comme il sied aux idoles.

Les badauds afro-cubains qui vont et viennent sur l'esplanade sont intrigués par le petit attroupement qui s'est formé autour de moi. Je les snobe car s'ils ne comprennent pas ce qui se passe, c'est qu'ils vivent sur une autre planète.

J'avoue que je suis flatté et heureux de voir ces braves touristes me mitrailler avec leurs appareils photo sophistiqués. Je leur pardonne de ne pas avoir retenu mon nom de scène ; ils m'ont reconnu, c'est déjà ça. Qu'ils se rassemblent autour de ma personne me donne le sentiment que le *hasard* me restitue en vrac mes joies et mes espérances.

Il n'a pas pris une seule ride, Orimi Anchia. Il est resté le même garçon que j'ai connu à l'université, malgré le blanc dans ses cheveux. Toujours aussi mince et fringant. On dirait que l'âge l'a à la bonne. Le sourire avec lequel il m'accueille dans le jardin de l'Esmeralda est un apaisement. Je sais que je ne rentrerai pas bredouille à la maison, ce soir...

Il me prend dans ses bras, me fait reculer pour me détailler, trouve que je n'ai pas changé et me pousse sous un parasol dressé au milieu d'une pelouse damée.

— Je suis vachement content de te revoir, cher Juan.

— Tu parles ! J'ai l'impression de rajeunir de trente ans.

Il claque des doigts en direction d'un employé et l'envoie nous chercher des rafraîchissements.

— Tu m'excuses si je ne t'ai pas reçu ce matin. J'avais une délégation chinoise sur les bras. Tu sais comment ça se passe avec les délégations. Il faut les bichonner, les balader, les torcher. Je n'ai repris mon souffle que lorsque je les ai foutues dans l'avion. Heureusement, il n'a pas eu de retard.

— Je sais ce que c'est... Comment va Mercedes ?

— Bien, bien... Tiens, j'ai oublié de lui téléphoner.

Il porte sa main à son mobile, y renonce aussitôt, revient vers moi, enthousiaste :

— Et toi, alors ? Raconte-moi. Qu'est-ce que tu deviens, vieux loup ?

— Hélas, je n'ai plus de bergerie.

Il serre les lèvres en hochant la tête.

— Je suis au courant pour le Buena Vista. Quel dommage !

— Ouais...

— Je me demande où on va avec ces privatisations. Nous sommes en train de fouler au pied nos principes.

Le serveur arrive avec un plateau argenté chargé de deux hauts verres de rhum et deux tasses de café.

Orimi avale une petite gorgée, clape des lèvres, avant de s'enquérir, la voix subitement basse :

— Que comptes-tu faire ?

— Il y a des choses auxquelles on ne renonce pas, Orimi. Je suis incapable de me sentir vivant si je ne chante pas. Lorsque j'étreins un micro dans mon poing, c'est mon destin que je tiens en main, tu comprends ?

— Je vois.

Il me voit surtout venir, et son enthousiasme en prend un coup. Il allume une cigarette, souffle la fumée par-dessus son épaule.

— Les temps sont difficiles, admet-il.

Sans que je lui précise l'objet de ma visite, il me confie :

— J'ai été obligé de me passer des services d'un quart de mon personnel. La conjoncture est féroce, ces dernières années. J'ai mis plus d'une semaine avant de convoquer les employés touchés par le licenciement. Ils étaient là avant moi. Des types formidables. Irréprochables.

— La loi du marché n'est que la forme moderne de la loi de la jungle.

Il considère le bout de sa cigarette, les lèvres pincées, les sourcils bas.

— Le désastre se décide d'en haut, et ce sont des gens comme moi qui sont chargés de la sale besogne. Parfois, j'ai envie de rendre mon tablier. J'ai honte d'exécuter les ordres sans avoir d'arguments pour les justifier.

— Orimi, lui dis-je en lui tapant sur le poignet, ce n'est pas grave.

— Je suis navré, je t'assure. J'aimerais tant faire quelque chose pour toi.

— Ça va aller. Si ça ne tenait qu'à toi, tu m'offrirais la suite royale.

Il écrase sa cigarette dans le cendrier, réfléchit.

— Laisse-moi du temps, Juan.

— Écoute, je t'en prie, ne te prends pas trop la tête. Je gère, crois-moi.

— Je suis vraiment confus.

— Détends-toi. On dirait qu'on va te faire une piqûre.

Il sourit.

— Tu te rappelles, s'enhardit-il soudain, dès qu'une infirmière se pointait avec une seringue, je détalais comme un lièvre.

— Tu déguerpissais si vite que ton ombre mettait une heure pour te rattraper.

Nous avons ri, puis nous avons remué le passé pour nous défaire d'un présent douloureux. Nous nous sommes souvenus des étudiantes qui nous faisaient saliver, des allumeuses qui nous en faisaient baver, et nous avons compté sur nos doigts les quatre cents coups qui nous ragaillardissaient, ainsi que les quatre cents lapins qu'on nous posait lorsque nous étions deux jolis cœurs en croisade, beaux et étourdis, le nez dans les étoiles et les pieds jamais sur terre.

Je suis heureux de quitter mon ami de cette façon. Je m'en veux de le mettre dans l'embarras. Orimi est un garçon correct. Il ne mérite pas de culpabiliser à cause de moi avec le stress permanent que lui inflige la direction d'un club fréquenté par des décideurs hyper-susceptibles qu'il faut ménager, pommader et traiter en seigneurs au risque de voir sa carrière brisée d'un simple froncement de sourcils.

Orimi me raccompagne jusqu'au parking, me propose de me déposer avec sa voiture.

— Il fait beau, lui dis-je. Je vais me promener un peu.

Il n'insiste pas et me serre de nouveau contre lui avant de me libérer.

8.

J'ai à peine traversé la chaussée qu'un homme m'intercepte sur le trottoir d'en face. Il est jeune, la trentaine, maigre et haut comme un gibet, les pommettes saillantes; son regard a quelque chose de métallique, parfaitement assorti à la méchante incision qui lui tient lieu de bouche.

— Ils te voulaient quoi, les touristes, tout à l'heure, sur le front de mer?

— Du bien.

De toute évidence, il s'agit d'un agent des renseignements comme il en existe à chaque coin de rue. La Havane grouille de ces individus «banalisés» qui passent leur temps à surveiller les faits et gestes des gens.

— Ça ne répond pas à ma question et je n'aime pas me répéter.

— À ta place, je retournerais faire le guet dans ma guérite et me tiendrais à carreau.

— Ne t'emballe pas, vieux.

— Tu cherches des problèmes?

Mon audace le désarçonne.

En réalité, je suis tellement blasé que je suis capable de me jeter sous les roues d'une locomotive. Je me fiche de finir au poste ou dans une fosse commune. Aucun péril ne me paraît aussi tragique que le risque de ne plus remonter sur scène.

Persuadé d'avoir affaire à un familier des hautes sphères, le jeune homme retourne là où il se tenait avant ma sortie de l'Esmeralda, le profil bas. Il doit se demander si son excès de zèle ne l'a pas piégé cette fois. À son air brusquement amène, je comprends qu'il prie en son for intérieur pour que je ne le dénonce pas. Je n'ai jamais dénoncé personne. Et puis, ce n'est pas sa faute. Lorsqu'on a été allaité au biberon de l'espionite, il est rare de ne pas prendre l'ombre d'un arbre pour un ennemi embusqué.

Ce qui m'inquiète davantage, c'est la colère en train de fermenter en moi. Je ne suis ni grossier ni belliqueux, et l'agressivité qui menace de se substituer à la bonhomie que je trimbale depuis ma plus tendre enfance m'effraie autant que ma grande solitude.

Je ne sens plus mes jambes lorsque j'atteins le parc Coppelia. Je prends place sur un banc, à côté d'un vieillard édenté en train d'abîmer ses derniers chicots sur une grotesque barre chocolatée, et tâche de m'intéresser à ces gens qui se pressent autour d'un marchand de glace.

Un garçon dépenaillé, qui transpire la campagne avec sa veste rouge à la coupe approximative et ses chaussures crottées, patiente sur le trottoir, une valise en carton serrée contre lui. Il n'arrête pas de surveiller les alentours comme s'il redoutait une mauvaise surprise. C'est sans doute son attitude qui a fini par alerter un policier. Ce dernier commence d'abord par le dévisager avant de lui demander ses papiers.

Le garçon jette un regard paniqué vers la chaîne humaine qui encercle le marchand de glace, tente de ramasser sa valise ; l'agent fait signe à un collègue de le rejoindre.

Les deux policiers vérifient minutieusement les documents du jeune homme.

— Tu viens de Palma del Sur ?

— Oui, monsieur.

— C'est quoi, comme patelin ?

— C'est un petit hameau de pêcheurs, au sud de Victoria de Las Tunas.

— Ce n'est pas la porte à côté, dis donc... Tu as l'autorisation d'entrer à La Havane ?

— Il faut une autorisation ?

— Absolument.

— Je suis cubain.

— Oui, mais tu n'es pas de La Havane. Que l'on soit de Baracoa ou du cap San Antonio, il faut se munir d'un laissez-passer pour débarquer ici. Sinon, la capitale serait saturée, et personne ne pourrait contrôler personne. (Il s'empare de son émetteur-radio et lance un appel au Central pour qu'on lui envoie le fourgon.) Tu es en situation irrégulière, mon petit gars.

— Je ne savais pas, monsieur l'agent.

— On en apprend tous les jours.

— Je vous jure que j'ignorais qu'il fallait une autorisation.

— Je te crois sur parole, sauf que ça n'excuse pas grand-chose. Une infraction est une infraction, qu'elle soit volontaire ou pas. Tu vas nous suivre au poste.

Les deux agents retiennent le garçon de part et d'autre pour l'empêcher de s'enfuir. Le pauvre «étranger» n'arrête pas de trépigner et de jeter des regards effarouchés dans la direction de la chaîne humaine entourant le marchand de glaces.

Le fourgon de police arrive. Les deux policiers poussent le garçon dedans.

Je préfère changer de quartier.

La nuit me surprend à tourner en rond.

Au détour d'une rue, j'entends quelqu'un m'appeler. C'est Luis, le portier du Buena Vista. Il monte la garde devant le Gato Tuerto, une petite salle où viennent se produire quelques ténors locaux.

— Comment as-tu fait pour te recaser si vite? lui demandé-je.

— Je ne perds pas mon temps, moi. Dès que la rumeur s'est mise à circuler à propos de la privatisation du Buena Vista, j'ai couru déposer mon CV partout. Le Gato a accepté mon dossier il y a plus d'un mois.

— Plus d'un mois? Je croyais que l'affaire datait d'il y a quelques jours.

— Mon œil! Ça faisait un an que les négociations étaient en cours. Tout le monde était aux aguets.

— Pedro savait?

— Et comment! Tu n'avais pas remarqué qu'il avait baissé la garde, ces derniers temps.

— Et il ne m'a rien dit, le fumier.

Je suis scandalisé.

— Ce soir, nous avons Juana Bacallao au programme. C'est moi qui invite. (Comme j'hésite, Luis ouvre grand la porte de l'établissement.) Allez, viens. Ça te changera les idées.

Je le suis à contrecœur dans la salle pleine à craquer. Juana Bacallao étincelle sous les projecteurs. Malgré son âge avancé, elle continue de charmer ses fans avec ses chansons bizarroïdes entrecoupées d'anecdotes sans queue ni tête. Imprévisible, probablement déjà sénile, elle passe plus pour un phénomène que pour une diva. Je ne comprends pas comment elle s'arrange pour continuer d'ensorceler les gens. Je l'ai connue à une époque où elle enchantait son monde avec sa classe et son caractère trempé. Mais aujourd'hui, j'ai du mal à déterminer les raisons de sa longévité artistique. Elle n'est plus qu'un tas de rides et de chair flétrie que le scintillement de sa robe de gala peine à masquer. Outrageusement maquillée, le chignon austère, elle passe davantage de temps à débiter des pitreries qu'à peaufiner son répertoire, au grand bonheur de ses fans.

Au beau milieu de son récital, elle m'aperçoit. Elle lève la main pour arrêter la musique, me montre du doigt et s'écrie :

— Chers amis, ce soir, nous avons l'insigne honneur d'avoir parmi nous le grand, le magnifique, le légendaire Don Fuego.

La salle entière se tourne vers moi pour m'ensevelir sous une avalanche d'ovations.

Ému aux larmes, je salue à droite, à gauche, derrière et devant moi, et me dépêche de rejoindre sur scène la vieille Juana qui, à cet instant précis, me paraît plus grande que toutes les cantatrices réunies.

J'ai eu tort de rendre le tablier trop vite. La nuit m'appartient. Je suis son prince, sa raison d'être. Juana Bacallao a levé le voile qui me rendait invisible, balayant d'une main seigneuriale le doute qui contestait mon aura. Je ne suis pas fini.

Juana m'a invité à chanter en duo avec elle avant de me laisser interpréter en solo « La Era está pariendo un corazón » de Silvio Rodriguez. Je regrette seulement d'être monté sur scène avec ma chemise de tous les jours, mon pantalon à deux pesos et mes chaussures pelées. Mais j'ai été magistral. Ma voix a subjugué l'auditoire. Juana m'a avoué, une fois dans sa loge, qu'elle a rarement entendu quelqu'un chanter aussi fort et juste.

À la fin de la soirée, alors que la salle réclamait des prolongations, Juana m'a brandi le bras si haut qu'il m'a semblé que j'étais en lévitation.

J'ai honte de l'avoir mal jugée.

J'ai quitté le Gato Tuerto sur un tapis volant.

9.

Il était quatre heures du matin lorsque j'ai atterri
à Casa Blanca. La baraque de Panchito était plongée
dans le noir. À cette heure-ci, le vieillard gravite à la
périphérie du coma éthylique.

Je n'ai pas voulu déranger Serena non plus.
Cela aurait risqué de réveiller Javier, et après il se
serait mis à haranguer une de ses hallucinations
ou à nous menacer de tous nous expulser de « sa »
maison.

Je me suis promené dans les ruelles ensommeil-
lées du quartier que hantent de rares insomniaques.
Il s'agit en général de jeunes chômeurs qui passent
le plus clair de la nuit au fond des portes cochères,
faute de lits disponibles dans les chambres squat-
tées par leurs familles nombreuses.

J'ai marché le long de la berge jusqu'à la station
du ferry, troublant au passage les ébats feutrés de
deux amants cachés dans les fourrés, puis j'ai
regagné mon tram afin d'y attendre le lever du
jour.

J'aime bien venir me délasser sur la banquette du fond, tranquille dans le noir, seul avec mes soucis. Le bruissement des feuillages et le clapotis de la baie régulent les battements de mon cœur; je me sens léger comme après une bonne psychothérapie.

Mais ce soir, je ne suis pas seul dans le tram. Quelque chose a remué sur les sièges du milieu. Je tends l'oreille, perçois une sorte de chuintement diffus. Il y a quelqu'un à bord. Je sors une minuscule torche de poche accrochée à mon trousseau de clés, m'approche de la respiration sur la pointe des pieds. Je décèle d'abord une chevelure foisonnante qui dépasse du banc sur la droite; quand le fuseau de ma torche éclaire une partie du corps allongé sur les sièges, un cri de frayeur me projette en arrière. L'intrus se redresse en sursaut, les mains en avant pour se protéger du rai de lumière. C'est une jeune femme.

— Qu'est-ce que tu fabriques là-dedans? lui demandé-je en braquant ma torche sur son visage.

— Je n'ai nulle part où aller.

— Ici, c'est ma retraite à moi.

Elle met de l'ordre dans sa robe et dans ses cheveux, se lève pour partir.

— Mais tu peux rester, si ça te convient.

Elle interroge le ciel à travers la vitre.

— Ça ne fait rien. Le jour ne va pas tarder. Je préfère m'en aller.

— Il n'est que quatre heures du matin.

— Vous ne pouvez pas détourner votre torche? Elle me fait mal aux yeux.

J'éteins ma lampe.

La fille se rassoit, en fuyant mon regard.

— Je ne savais pas que cette locomotive était occupée.

— Tu n'as pas de famille dans les parages?

— Non.

— Tu as fugué...

— On ne fugue pas à mon âge, on s'en va.

Elle baisse la tête et se met à triturer ses doigts.

— Mon frère et moi sommes arrivés ce matin dans la ville. Pour chercher du travail.

— Où est-il, ton frère?

— Je ne sais pas. On était dans un parc. Je voulais nous acheter à manger. Lui, il m'attendait sur le trottoir. Puis des policiers sont arrivés et ils l'ont emmené dans un fourgon.

— Quand?

— Avant le coucher du soleil. Mes affaires étaient dans la valise qu'il gardait. Les policiers ont tout embarqué, et je n'ai plus rien à me mettre. Il me reste trois pesos que le marchand m'a rendus. Tout était dans la valise, nos sous, nos vêtements, tout. Je me demande comment je vais me débrouiller maintenant.

— Ton frère a été embarqué dans le parc Coppelia?

— Je ne connais pas le nom de l'endroit, mais c'est bien dans un parc que ça s'est produit. Il y avait un marchand de glace sous les grands arbres et beaucoup de monde autour. Je faisais la queue quand j'ai vu mon frère se faire arrêter. J'ai eu la peur de ma vie, alors j'ai fui tout droit sans savoir où j'allais.

— Ton frère, il ne portait pas une veste rouge et une valise en carton ?

Elle se raidit.

— Tu es de la police ?

— Pas du tout.

Elle recule contre la vitre, méfiante.

— Si, tu es de la police. Comment sais-tu que mon frère portait une veste rouge ?

— J'étais à proximité du parc quand c'est arrivé.

Elle fait non de la tête, cherche une échappatoire, se rend compte qu'elle ne peut pas enjamber les dossiers devant elle et que je bloque le couloir.

— Je ne te crois pas. Tu es un agent. Mon frère a dû avouer, et on t'a mis à ma recherche.

— Je ne suis pas un agent. Je suis Don Fuego, le chanteur.

— Nous avons mis deux semaines à marcher et à faire de l'auto-stop pour parvenir jusqu'ici. Nous avons dormi dans des enclos, et dans des fossés, et sous les arbres, et sous la pluie. Je n'ai pas l'intention de retourner dans mon village, je te préviens.

Je la calme des deux mains.

— N'aie aucune crainte. Tu peux rester ici autant que tu veux, mais pendant la journée, tu n'as pas intérêt à te montrer aux alentours. Tu vois la cage en verre, là-dehors. C'est la gare du ferry.

— Quel ferry ?

— La *lanchita* qui fait la navette d'une rive à l'autre. Elle transporte des passagers du matin au soir. Tâche de te tirer de là avant l'ouverture de la station. Allez, je dois filer.

Au moment où j'atteins le marchepied, la fille me lance :

— Est-ce qu'ils vont le relâcher ? Mon frère n'a rien à se reprocher. Que vont-ils lui faire ?

— Probablement le renvoyer chez lui.

— Pourquoi ?

— Il faut une autorisation pour venir à La Havane lorsqu'on n'est pas d'ici. Ton frère n'en avait pas.

— Nous sommes venus chercher du travail.

— Il n'y a pas de travail à La Havane.

En sautant à terre, je la vois coller son visage contre la vitre pour m'observer. Je lui adresse un petit signe de la main auquel elle ne répond pas et prends le chemin qui mène à la maison en priant que Javier ne se réveille pas en m'entendant rentrer.

C'est encore Panchito qui m'en a donné l'idée : « Ça fait un bail que tu n'as pas vu ta fille, Juan ? Tu passes tes journées à te ronger les ongles en espérant qu'un coup de fil te sorte de l'ombre et il ne se passe pas grand-chose pour toi. Pourquoi ne pas aller lui rendre visite à la petite ? Depuis le temps, elle est devenue une demoiselle, maintenant. »

J'appelle mon cousin Félix pour qu'il passe et me dépose à Regla. Il m'annonce qu'il a un problème mécanique avec sa Dodge et que si c'est urgent, il va demander à un collègue de lui prêter son taxi. Félix, lorsqu'il transite par un collègue, c'est pour que je lui paye la course. Il ne joue pas souvent à ce jeu avec moi, mais quand il s'y emploie, c'est qu'il est sur la jante, et je compatis.

Je me rends à pied dans le quartier voisin acheter une poupée pour ma fille et un châle pour Elena et demande à Félix de me récupérer au rond-point qui mène vers la trémie.

— Elle a passé l'âge, me dit Elena en posant la poupée sur un guéridon.

— Je ne savais pas quoi lui acheter.

— Elle ne manque de rien.

— Je n'en doute pas... Est-ce que je peux la voir?

— Elle ne va pas tarder à rentrer du collège.

Elena m'a installé dans le salon et m'a offert une bière. Je m'attendais à un accueil glacial, et j'ai droit à des égards que je n'imaginais pas. Mon ex-épouse est contente de me revoir. La dernière fois que je lui ai rendu visite remonte à trois ans; elle avait menacé de m'étriper si je revenais chahuter son bonheur.

— Merci pour le châle, me dit-elle. Il ne fallait pas.

— Il te plaît?

— Il est magnifique.

— Le boutiquier prétend qu'il vient des Indes. Bien sûr, il ment. Sur l'étiquette, c'est écrit Taiwan. Mais fais comme s'il venait des Indes.

Elle sourit tristement.

— C'est le geste qui compte, Juan. Tu restes déjeuner avec nous?

— Je ne crois pas. J'attends un coup de fil. Je n'aimerais pas avoir à quitter la table dans la précipitation.

— Raul m'a raconté. C'est moche, ce qui arrive au Buena Vista.

— C'est la vie.

— J'ai pensé à toi. J'espère que tu t'en sors ?

— Tu me connais : je retombe toujours sur mes pattes.

Nous nous taisons de longues minutes comme si nous avions épuisé tous les mots de la terre. Je laisse mon regard courir sur les meubles alentour, les bibelots sur la commode, l'édredon par terre, m'attarde sur un tableau représentant un musicien jouant du saxophone dans la lumière tamisée d'un bistro.

— Je l'ai acheté parce que l'artiste te ressemble un peu.

— Tu trouves que j'ai vieilli tant que ça ?

— Qui ne vieillit pas, Juan ? Depuis que j'ai acheté ce tableau, j'ai l'impression que tu es à la maison.

— Ce que tu dis me touche profondément, Elena.

— Il m'a fallu du temps pour me rendre compte à quel point j'ai été égoïste et aveugle.

— C'est ma faute. Je n'ai pas été un bon époux ni un père attentionné.

— «Un artiste, ça se partage.»

— Sauf que je n'ai pas été équitable. Je me donnais tout entier à mon public et je négligeais ma famille.

— N'empêche, j'ai été très dure avec toi.

— C'est du passé, Elena. Tu as embelli, tu portes de jolies robes. Que demander de plus?

Elle se pince le nez pour réprimer un sanglot.

— Tu n'es pas heureuse avec ton douanier?

— Raul est un morceau de sucre.

— Alors, où est le problème?... Est-ce qu'il te trompe?

— Pas autant que toi, répond-elle avec un petit sourire malicieux qui décrispe son magnifique visage (lorsqu'elle sourit, Elena chasse les mauvais esprits telle une formidable incantation, et tout autour d'elle devient sain et lumineux). Tu ramenais un soir sur deux l'odeur de tes conquêtes à la maison et quand je te coinçais, tu te jetais à mes pieds et jurais qu'on ne t'y reprendrait plus...

— J'étais jeune et fou.

— On l'est tous, à cet âge... Je ne te pardonnais pas, parce que je t'aimais.

— Tu pardonnes à ton douanier?

— Ce n'est pas la même chose. Avec toi, c'était différent.

Je me tourne vers elle, ne trouve rien à ajouter. Elena continue de sourire, les yeux accrochés aux miens. Tout ce que nous nous sommes dit jusqu'à présent a manqué d'un aveu. J'ai peur de son sourire qui semble chargé de regrets, de ses yeux qui implorent ce que je suis incapable d'offrir, de ses doigts qui viennent de se refermer sur mon poignet.

— Je veux qu'on reste amis, Elena, que tu m'autorises à venir voir ma fille plus souvent.

— Je ne te l'ai pas interdit.

— Certes, mais tu m'accueillais si mal... Tu ne peux pas mesurer combien je suis content, aujourd'hui, combien ça me soulage que tu m'acceptes dans ta maison comme un ami...

— Tu es plus qu'un ami, Juan. Tu es le père de mes enfants. J'en ai mis du temps pour me rendre compte du tort que je t'ai causé.

— Ce sont des choses qui arrivent. Je n'en veux à personne, encore moins aux êtres que j'ai aimés.

Elle se dépêche de filer dans la cuisine cacher ses larmes.

Elle a été ma femme durant seize ans.

Je n'ai pas vu ma fille.

Quand sa mère l'a appelée sur son portable pour lui annoncer que je l'attendais à la maison, Isabel lui a répondu qu'elle était en excursion avec sa classe et qu'elle ne serait pas de retour avant la fin de l'après-midi.

Félix a commencé à s'impatienter dans la rue. Il s'est mis à klaxonner toutes les deux minutes pour me rappeler à l'ordre. Il aurait continué ainsi jusqu'à faire sortir de leurs gonds les riverains si je n'avais pas pris congé d'Elena.

— Tu reviens quand tu veux, me dit-elle en gardant ma main longtemps dans les siennes.

— Promis.

10.

J'apprends à découvrir Casa Blanca.

Cela fait quatre ans qu'elle m'indiffère.

Maintenant que je suis sans travail, le quartier va devoir me ressasser telle une idée fixe.

Sans être sorcier, je sais déjà que je ne connaîtrai de Casa Blanca que les nuits creuses comme des puits, les tentures aux fenêtres qui rappellent ces rubans miteux que l'on voit pendouiller aux grillages et les mioches délurés pourchassant un ballon comme on traque un rat d'égout.

La journée, à Casa Blanca, est un passage à vide. La lassitude dégouline sur les figures, lorsqu'elle n'officie pas dans l'ombre des recoins comme une araignée. Si, de temps en temps, on s'attroupe devant une maison, c'est qu'un prêtre babalawo s'apprête à se prendre pour le bon Dieu après avoir rangé ses miracles au placard et mis dix-sept cadenas dessus.

Casa Blanca, ce sont des façades lézardées ayant oublié depuis des lustres la brûlure revigorante de

la chaux; des écrans floutés en guise d'horizons;
des chaussées balafrées qui crissent sous les savates
sans mener où que ce soit; des portes ouvertes sur la
misère intérieure que de vieux meubles d'occasion
racontent dans une langue immémoriale, car, à
Cuba, les vieilleries compensent ce que l'on n'est
pas près de s'offrir; des supérettes aux étagères
presque vides; des vieillards rivés sur leurs chaises
geignardes; des filles qui se prostituent pour tuer le
temps en proposant des passes moins chères que
les préservatifs; des jeunes pétris de talent à qui il
suffit de donner un tambour pour qu'ils impro-
visent une fête, un pinceau pour reproduire des
tableaux de maître sur des toiles de fortune, une
barre fixe pour exécuter des acrobaties à couper le
souffle, et qui se moquent de tout en riant aux
éclats pour se croire heureux.

Mes concerts m'ont épargné de faire corps avec
la réalité mortifère du faubourg. Si j'avais quarante
ans de moins, je me demande ce que je ferais
de ma jeunesse. Je serais probablement en train de
nourrir les poissons faute d'avoir échoué à gagner
la Floride sur un radeau pourri.

— Reviens un peu sur terre, me secoue Panchito
avec le bout de sa canne. Sur quelle planète étais-
tu?

Il m'indique mon téléphone posé sur le caisson
qui nous sépare.

— Ton portable vient de sonner. Je crois que tu
as un message.

Sur le cadran, je lis : Anchia.

Le message dit : « Va voir Julio Lopez de ma part à l'hôtel Nacional. C'est un ami. »

Julio Lopez me reçoit dans son vaste bureau étincelant. C'est un homme d'un certain âge, poli et bien mis. Il porte un costume de marque étrangère et une grosse montre chromée au poignet. Son regard est franc, sa moustache soignée, et sa poignée de main se veut rude comme celle des bûcherons.

— Je ne refuse rien à Orimi, m'explique-t-il. Je lui dois beaucoup. En vérité, je n'ai pas grand-chose à offrir, mais comment dire non à un ami ? Dans un premier temps, tu vas remplacer un musicien parti marier sa fille à San Cristóbal. Il sera absent la semaine. Puis on verra. Ce ne sont pas les opportunités qui manquent.

— Ça me va très bien. Je n'aime pas me tourner les pouces à longueur de journée.

— Voilà une bonne chose de réglée. Tu te produiras le matin et l'après-midi sur la terrasse de l'hôtel.

— Pourquoi pas dans la grande salle au rez-de-chaussée ? J'ai vu, en arrivant, qu'on prépare la scène.

— On a un concert ce soir.

— Qui est au programme ?

— Ayala Junior.

— Je le connais. On a déjà chanté ensemble. On pourrait faire un sacré duo, ce soir. Il y a moins d'une semaine, je me suis produit au Gato Tuerto aux côtés de Juana Bacallao. Nous avons cartonné, à nous deux.

Il m'arrête de la main.

— Chaque chose en son temps.

— Parle à Junior. Dis-lui que Don Fuego demande à le rejoindre sur scène. Sûr qu'il va sauter au plafond.

Mon enthousiasme se brise sur la moue obtuse de mon bienfaiteur.

— Écoute, Jonava. Je n'ai pas fini de déballer mes affaires dans ce bureau. Je ne suis ici que depuis deux mois. Je ne connais pas grand-chose à la gestion des établissements de cette envergure et pas grand-chose, non plus, aux rapports qu'on doit observer avec les artistes. Avant, je m'occupais du Livre au ministère de la Culture. J'ignore pourquoi on m'a confié la direction du Nacional. Aussi, je ne veux pas prendre de risques. Si j'ai accepté de te dépanner, c'est par simple amitié pour Orimi.

Et c'est ainsi que moi, Don Fuego, le crooner au charme immarcescible, le pyromane magique qui faisait vibrer les salles et frémir les femmes, j'en suis réduit à passer d'un fauteuil à l'autre sur la terrasse de l'hôtel Nacional, sans micro et sans panache, avec juste une vilaine guitare de gitan sur les bras et un cœur gros comme un orage, attendant stoïquement qu'un couple de vieux touristes somnolents consente à ce que je lui chante une berceuse pour l'aider à s'assoupir pour de bon.

Le soir, j'ai appelé Serena pour qu'elle ne s'inquiète pas et je suis allé me soûler dans un troquet au fin fond d'un pertuis obscur à San Carlos. J'avais honte d'affronter mon reflet dans une vitrine ou de passer sous un lampadaire.

Après m'être ruiné jusqu'au dernier peso, je suis rentré à Casa Blanca. J'ai flâné le long de la baie, lançant par moments un caillou dans l'eau pour voir le remous à la surface distordre les lumières de la banlieue qui ne parvient pas à tourner de l'œil malgré le vertige de ses beuveries. Ensuite, j'ai pris place sur un appontement vermoulu, et j'ai écouté le clapotis des flots dans le noir.

Lorsque j'atteins *mon* tram, j'entends quelqu'un chantonner derrière une butte. La voix n'est pas fameuse, mais la mélodie est touchante et les paroles poétiques.

Une jeune fille est accroupie au bord de l'eau. Le lampadaire au-dessus d'elle fait brasiller ses cheveux roux lâchés dans le dos. C'est la fugueuse dont le frère a été arrêté par la police au parc Coppelia. Elle est en slip et en soutien-gorge et elle lave sa robe en la frottant entre ses mains.

Elle se retourne au bruit de mes pas, incline un peu la tête sur son épaule pour essayer de m'identifier :

— Ce n'est que moi, Don Fuego le chanteur. N'aie pas peur.

Elle se lève pour me faire face, sur ses gardes.

— Tu m'as menti.

— Moi ?

— Qui d'autre? Tu es un agent, et j'ai bien fait de me méfier de toi.

— Je ne suis pas un agent.

— Ah oui? Ils fichaient quoi par ici, les policiers, ce matin, d'après toi? Je suis sûre que tu m'as dénoncée, et ils sont venus me chercher. J'ai été obligée de me cacher dans les fourrés jusqu'à la tombée de la nuit.

— La police n'était pas là pour toi. On a découvert le corps d'un ivrogne battu à mort, un peu plus bas vers la colline.

Elle se remet à laver sa robe sans me quitter des yeux.

— C'est rare que des incidents de cette nature se produisent par ici, mais il faut que tu fasses attention, lui dis-je. On ne sait jamais qui on croise sur son chemin, la nuit. Certains ont le vin fielleux.

— Personne n'a intérêt à porter la main sur moi, décrète-t-elle en me fusillant du regard.

— Je n'en ai pas l'intention.

— C'est ça.

Elle étale sa robe sur la largeur de ses bras pour la mirer, la remet dans l'eau.

— Elle ne séchera jamais avant le lever du jour, lui assuré-je.

— Ce n'est pas toi qui vas la porter.

Elle continue de frotter énergiquement le vêtement en le maintenant sous l'eau.

— Tu chantais quoi, tout à l'heure?

— Je chantais, c'est tout... Pourquoi ne me laisses-tu pas tranquille?

— Je veux juste te tenir compagnie.

— Mon ombre me suffit.

Je m'appuie contre un tronc d'arbre, croise les bras pour l'observer. Cette fille m'intrigue ; quelque chose en elle me fascine et me trouble à la fois. Elle a un corps de rêve que veille un regard farouche. Son slip est d'un autre âge, son affreux soutien-gorge de fermière jure avec sa poitrine parfaite, pourtant elle supplante toute chose autour d'elle.

— Tu as des nouvelles de ton frère ?

Elle ne répond pas, va étendre sa robe sur une branche, puis, portant ses mains à ses hanches, elle attend que je disparaisse.

Je la contemple avec voracité comme si j'allais perdre la vue dans la minute qui suit. Je sais que ce n'est plus de mon âge, que je m'aventure sur un terrain glissant, mais il est des risques plus exaltants que les conquêtes. Si j'avais à choisir entre me produire sous le plus grand chapiteau du monde ou passer dix minutes à la dévorer des yeux, je brûlerais le chapiteau rien que pour la voir entière en pleine lumière.

— C'est bon, tu t'es rincé l'œil ? Va-t'en, maintenant.

Je suis déjà ailleurs, quelque part où la raison n'a pas cours, où l'on refuse de se réveiller. Si l'on considérait la nuit comme une confidente pleine de bons conseils, je prendrais mes jambes à mon cou pour rentrer à la maison et fermer à double tour la porte de ma chambre. Mais la nuit, en ce soir incandescent, se range du côté de son obscurité qui m'empêche de contempler pleinement ce que je crois être la plus belle silhouette qu'il m'ait été donné d'entrevoir de toute ma vie.

— Va-t'en!

Son cri me fait l'effet d'un électrochoc.

Je lève les mains en signe de reddition et remonte le sentier qui mène chez Serena. À mi-chemin, je reviens sur mes pas en veillant à ne pas me trahir, m'embusque derrière une rangée d'arbustes pour épier la «fugueuse». Elle demeure debout à l'endroit où je l'ai laissée, les mains sur les hanches. Pendant un long moment, elle tend l'oreille en scrutant les parages comme si elle craignait que je lui tombe dessus, puis, rassurée, elle ramasse sa robe et se dirige vers le tram.

À peine rentré à la maison, je prends une couverture dans le placard, une tranche de porc et une assiettée de haricots noirs dans le réfrigérateur, et me dépêche de retourner à la station du ferry.

La belle n'est ni dans le tram ni sur la rive.

Je n'ai pas trouvé le sommeil, cette nuit-là. Jusqu'à l'aube, la silhouette sublime de l'inconnue est restée collée à mes paupières et, pour la première fois depuis longtemps, j'ai senti un souffle ardent essorer ma chair. Quelque chose vient de posséder mon être – je ne regarderai plus les femmes de la même façon.

11.

— J'ai connu un homme d'affaires, il y a très longtemps, raconte Panchito en se balançant sur sa chaise. Il possédait toute une ville dans le sud des États-Unis et en voulait d'autres. Il déclarait à ses rivaux : « Aucun océan n'étanchera ma soif. »

— Et alors ?

— Alors, il est mort noyé dans sa baignoire.

— Je n'ai pas de baignoire.

— Dans ce cas, tâche de ne pas te noyer dans ton verre.

Panchito me fait la leçon, lui qui ne dessoûle guère. J'ai envie de lui dire que s'il venait à s'ouvrir les veines, les mouches, en s'abreuvant de son sang, sombreraient dans le coma sur-le-champ, mais j'ai beaucoup trop de respect pour sa légende.

— C'est toi qui me parles comme ça ?

— Parfaitement. Quand je bois un coup, je reste chez moi, peinard et à l'abri. Je ne traîne pas dans les rues à trois heures du matin.

— Mes concerts ont décalé mes horaires. Je suis un homme de nuit.

— Je te parle de tes beuveries. Il faut que tu lèves le pied.

— C'n'est pas facile...

— Je sais que ce n'est pas facile, persiste-t-il en haussant le ton, mais tu devrais faire un effort. Je n'aime pas te voir chavirer dans les rues comme un saule pleureur que le vent malmène.

— Je ne suis pas bien.

— Personne ne l'est, Juan. Et les cuites, ça ne rend pas meilleur.

— On ne dégringole pas de son piédestal sans casse. Tu te rends compte ? Chanter des berceuses sur des terrasses presque vides, moi, Don Fuego ? Jamais je n'aurais pensé tomber si bas.

Panchito tend d'abord l'oreille vers sa baraque, à l'intérieur de laquelle son chien gémit de temps en temps, puis, après m'avoir toisé, décrète :

— Rien n'est acquis d'office, Juan del Monte. Sinon, il n'y aurait de justice ni sur terre ni en enfer. Tu t'habitues à ton petit train-train et tu te persuades que ce sera toujours ainsi. Mais les jours sont comme les fauves. Tu penses les avoir apprivoisés, et un beau matin, ils recouvrent leur instinct et ils se surprennent à te dévorer vivant en croyant s'amuser avec toi.

— Qu'est-ce que tu veux que je fasse ? Que je remercie le ciel pour mon malheur ?

— Que tu forces moins sur la bouteille. Et que tu essaies de ne pas trop traîner dans les faubourgs à des heures impossibles. Il y a un fêlé qui massacre les ivrognes isolés. Il en est déjà à sa deuxième victime.

— Ce ne sont que des bagarres d'abrutis. La radio dramatise, et les gens ont tendance à trop prendre au sérieux ce qu'on leur raconte.

— De toute façon, je t'ai averti. Et puis, que cherches-tu à prouver en te bourrant la gueule? Que tu n'es pas d'accord avec la poisse ou que tu n'es pas d'accord avec toi-même? Il faut donner à chaque jour sa raison d'être. Hier, tu festoyais. Aujourd'hui, tu négocies une mauvaise passe. Laisse donc à demain le soin de décider de ton sort.

— C'est moi qui décide de mon sort.

— Tu vois? Tu manques d'humilité, Juan, et ça, ce n'est pas bien. Mais je suppose qu'il est plus aisé d'apprivoiser un crocodile que de faire changer d'avis un imbécile.

Panchito est exaspéré par ma suffisance. C'est d'ailleurs le défaut qu'il pardonne le moins. « La vanité est le revers des hommes, déclare-t-il chaque fois qu'il est face à un fanfaron; c'est afficher ce qu'on a de pire et le faire passer pour un don. » Et il sait de quoi il parle, Panchito. Il a roulé sa bosse; il a touché du doigt les défis les plus fous, chevauché la licorne et rendu jaloux les rois. Il estime que son expérience de la vie devrait me profiter; aussi, quand il me donne un conseil, je suis censé l'exécuter à la lettre, au même titre qu'une consigne ou un ordre. Sa philosophie repose sur des données concrètes, martèle-t-il, car il a tout connu sur terre, la foudre et la crue, les cimes et les gouffres, et s'il est devenu pauvre après avoir dilapidé des millions, s'il lui reste de petites choses après qu'il a offert à des amours transitaires des tonnes de fleurs et le fleuriste avec en guise de cadeau maison, s'il est devenu sage et paresseux – la paresse étant, selon lui, la forme la plus gratifiante de la sagesse –, c'est parce qu'il est persuadé que la vie, avec ses hauts et ses bas, ses mannes et ses vacheries, n'a pas de secrets pour lui.

Devant mon air accablé, il change de ton.

— C'est pour ton bien, Juan.

— Tu viens de me traiter d'imbécile.

— C'est faux. J'ai utilisé une métaphore pour t'éveiller à un certain réalisme. La colère ne réussit à personne, la tienne me brise le cœur... Veux-tu que je te traduise ce que racontent les marionnettes ? Figure-toi que ce ne sont pas leurs histoires qui importent, mais les ficelles qui leur font faire des choses terribles contre leur gré.

Je suis sur le point de lui signaler que je ne suis pas une marionnette ; je m'abstiens d'envenimer la discussion.

— Tu vas te gargariser et crier sur tous les toits que tu n'es pas une marionnette, poursuit-il comme s'il lisait dans mes pensées. Pour preuve, tu montres que tu n'as pas de ficelles aux bras ni aux pieds. N'empêche, tu es plus à plaindre que les poupées en chiffon car le marionnettiste qui te manipule, c'est toi, et tu ne le sais pas.

Il tend l'oreille vers la baraque et conclut :

— Personne ne t'oblige à être stupide ou génial. Tout dépend de toi. Quoi que tu fasses, quoi qu'il t'arrive, tu en es le seul artisan.

À court de reparties, je me lève pour aller chercher une bière.

Lorsque j'arrive devant l'entrée de la baraque, Panchito m'interpelle :

— Juan del Monte Jonava...

Je me tourne vers lui.

Il me dit :

— Rêver, ce n'est pas attendre, mais chercher à atteindre son but contre vents et marées.

À cet instant précis, un véhicule s'arrête devant la maison. C'est une fourgonnette vert bouteille qui rappelle les ambulances américaines de la Seconde Guerre mondiale. L'homme qui en descend semble échappé de la même époque ; filiforme et chenu, le teint bistre, le nez aussi affûté qu'une lame de hachoir, il a des poils jusque dans les oreilles. Il pousse la petite grille qui donne accès à la cour, avance vers nous, une sacoche élimée au bout du bras.

— Salut, docteur, lui lance Panchito en s'arrachant de sa chaise dans un râle de vieillard.

— J'espère que je n'arrive pas trop tard.

— Je ne pense pas. Il geignait encore il y a deux minutes.

Le docteur ne me serre pas la main. Il suit, dans la foulée, Panchito à l'intérieur de la baraque.

Je préfère rester dehors à déterrer un caillou avec la pointe de mes souliers.

— Ton chien m'a l'air mal en point, Panchito, constate le docteur que je vois se gratter la tête à travers la vitre.

— Ce n'est pas mon chien, c'est mon compagnon d'armes.

— Depuis quand est-il dans cet état ?

— Il a commencé à faire sur lui hier soir, juste avant la tombée de la nuit.

— Hum... Il a quel âge ?

— Je n'ai pas compté, pour ne pas lui jeter le mauvais œil.

— À mon avis, il faudrait l'emmener dans mon cabinet. Je n'ai pas tous les outils nécessaires dans ma sacoche.

Mon téléphone sonne : c'est l'hôtel Nacional.

Au bout du fil, le directeur Julio Lopez se racle la gorge avant de crachoter :

— Je suis désolé, Jonava, le musicien que tu remplaçais vient de rentrer. Il reprend le service dès cet après-midi.

— Je m'y attendais un peu.

— On reste en contact. S'il y a quelque chose, je t'appelle.

Il raccroche avant que je le remercie.

Je me tourne vers la statue du Christ qui, de son promontoire, veille sur la Bahia et je me demande pourquoi il me tourne le dos.

12.

Le soir, après dîner, je sors prendre le frais sur le pas de la maison. Mon fils Ricardo est assis sur la marche de la porte cochère, en tricot de peau et en bermuda ; il attend sa bande de copains pour aller embêter les filles dans les parcs.

Nous ne communiquons presque pas, lui, boudant la terre entière, et moi, ne sachant quoi lui dire.

Ricardo n'est pas facile à gérer ; il est comme ce mot que l'on a au bout de la langue et que l'on ne parvient pas à atteindre. Il était moins renfrogné, avant. Il avait une petite amie, un peu plus âgée que lui, mais très jolie, qui venait le chercher l'après-midi et qui semblait bien le materner. Ricardo s'était assagi car la fille n'aimait pas les délinquants et détestait les dragueurs qui ne savent rien faire d'autre que coller le pied contre un mur et débiter des grossièretés au passage des lycéennes. Ricardo avait cessé de fréquenter la faune locale, s'était mis à porter des vêtements corrects et à soigner son image. J'étais soulagé de le voir prendre ses responsabilités, lui qui répugnait à se rendre utile. Nous ne nous parlions toujours pas beaucoup, mais il daignait m'écouter parfois quand j'avais une proposition ou deux à lui suggérer. Puis Ricardo a rechuté. Il est devenu plus mou qu'avant, presque repoussant de nullité. Serena pense que la petite amie a dû réaliser que mon fils n'était qu'un crétin encombrant et qu'elle l'a largué pour pouvoir amorcer son envol à elle, parce que cette fille-là avait de la classe et de l'ambition, deux vertus aux antipodes de ce qui pourrait motiver mon rejeton si, par miracle, il décidait de se prendre en charge un jour.

Ricardo ne se pousse pas sur le côté pour me laisser passer. Il s'approprie l'espace, les genoux écartés sur toute la marche.

— Demain, je vais à Regla. Tu aimerais m'accompagner?

— Pour quoi faire?

— Rendre visite à ta mère.

— J'irai la voir quand elle aura enterré son filou de douanier.

— Tu risques d'attendre longtemps.

— M'en fiche.

Il courbe l'échine et se met à polir la pointe de ses baskets avec un bout de gomme. Je bouscule sa jambe pour me frayer une place à côté de lui. Au moment où je m'assois, il commence par se trémousser avant de se mettre debout.

— Qu'est-ce qu'il y a? demandé-je d'un ton énervé. J'ai la gale ou quoi? Pourquoi ne supportes-tu pas ma proximité? Je suis ton père.

— Remixe ta chanson, papa. On n'est pas dans *Star Wars*.

— C'est quoi, ce langage de caniveau?

— Tu crois qu'on est au paradis?

— On n'est pas en enfer, non plus. Et je t'interdis de me parler de cette façon.

Ricardo tord les lèvres dans un rictus affecté. J'ai envie de lui tirer les oreilles, mais je crains de l'éloigner un peu plus de moi.

— Ça ferait plaisir à ta mère, lui dis-je, conciliant.

— Et moi, je te répète que je ne veux pas dégueuler devant la face de clown de son douanier.

— Il sera de permanence, demain. Et demain, c'est dimanche. Ta mère a promis de retenir Isabel à la maison. Ça fait si longtemps que je n'ai pas vu ta sœur. Elle serait ravie de nous serrer dans ses bras.

Il hausse les épaules, appuyé contre le mur.

— Tu ne veux pas revoir ta sœur, Ricardo?

— Je la vois régulièrement à la sortie du collège, maugrée-t-il sur un ton déplaisant.

— Vous vous dites quoi?

— On parle de nous, de nos projets.

— Est-ce qu'elle parle de moi?

— Pourquoi veux-tu qu'elle parle de toi? Tu n'es jamais là pour personne.

Sur ce, il se redresse d'un coup de rein et s'éloigne dans l'obscurité.

Je prie Félix de ne pas klaxonner au cas où je m'attarderais chez mon ancienne épouse. Ce n'est pas tous les jours que je vois ma fille. S'il n'est pas content, il n'a qu'à regagner La Havane – je rentrerai en autocar. Félix promet de prendre son mal en patience et ajoute qu'il serait prêt à me déposer tous les jours à Regla pour ressouder les liens entre moi et ma fille car pour lui, en ce monde, rien n'est plus important que la famille.

Elena me reçoit avec infiniment de déférence. On dirait qu'elle accueille un notable. Elle s'est maquillée, coiffée, et elle porte une robe neuve qui l'habille avec une coquetterie que je ne lui connaissais pas.

Isabel se morfond dans le salon, embêtée d'être retenue à la maison un dimanche où les filles de son âge vont dans les parcs s'amuser et se laisser embobiner par les garçons.

Ma fille a, pour moi, un regard froid. Elle m'en veut de lui gâcher son jour de congé.

— Tu n'embrasses pas ton père? lui demande sa mère.

Isabel se lève à contrecœur, met un temps fou à parcourir la distance qui nous sépare en regardant par terre, ne fait aucun effort pour se hisser sur la pointe des pieds, m'obligeant ainsi à me pencher sur elle pour l'embrasser. Elle accuse un frisson lorsque mes lèvres se posent sur sa joue.

— Je t'ai apporté un illustré, lui annoncé-je.

Comme elle ne réagit pas, sa mère l'invite à prendre le cadeau. Isabel s'empare du livre et le pose sur le meuble le plus proche, sans lui accorder d'intérêt.

— Dis merci, la somme sa mère.

— Merci...

— Ça me fait du bien de te revoir, lui avoué-je.

Elle opine, les yeux obstinément par terre.

Elle a poussé vite pour son âge, Isabel. Elle est belle, en dépit d'un début d'obésité, avec ses yeux verts comme ceux de ma mère et ses fossettes dans les joues. Son visage tient un peu du mien, et ses cheveux frisés, légèrement clairs, me rappellent ceux de mon père. Malgré son air boudeur, qui témoigne de son petit caractère, Isabel semble bien traitée. Ses vêtements sont neufs, ses souliers étincelants, et son serre-tête rappelle un diadème.

Son manque d'enthousiasme à mon égard ne me chagrine pas outre mesure. Je comprends. La dernière fois que je l'ai vue remonte à une éternité; elle pleurait en se débattant dans les jupes de sa mère pendant que je quittais le foyer – elle voulait partir avec moi.

— Comment vas-tu, mon colibri?

— Ça va.

— Tu te souviens? C'est comme ça que je t'appelais. Tu étais mon petit oiseau à moi, et toi, tu voulais te cacher dans ma main pour que, au moment où je soufflerais dedans, tu puisses t'envoler.

— C'était bête.

— Non, c'était mignon. C'était... (Elena me fait non de la tête. Isabel n'est plus le colibri d'autrefois. Les enfants d'aujourd'hui sont plus éveillés et ils détestent qu'on oublie qu'ils ont grandi. Ricardo me l'avait signifié à maintes reprises, pourtant, par j'ignore quel vertige affectif, je retombe imman-quablement dans le piège.) Je suis venu te prendre en ville. Il y a ton oncle Félix qui nous attend dehors. Nous irons où tu voudras.

— Je ne peux pas...

— Pourquoi?

— J'ai un rendez-vous.

— Tu ne peux pas le reporter à plus tard?

— Non.

— Va avec ton père, intervient sa mère. Tes copines, tu les vois tous les jours.

— J'ai promis.

— Tu n'as pas prêté serment, que je sache, s'énerve Elena.

— Maman, pourquoi tu n'essayes pas de com-prendre?

— Qu'y a-t-il à comprendre? Ton père t'invite en ville. Ça fait des années qu'il attend ce moment. Tu n'as pas le droit de le contrarier.

Je lève la main pour calmer Elena.

— Ce n'est pas grave. Si elle a prévu des choses pour aujourd'hui, il ne faut pas chambouler son programme. Nous irons en ville un autre jour.

Un silence, de l'épaisseur d'un brouillard, s'ins-talle entre nous trois. Elena est navrée, elle fixe sa fille d'un air sévère, mais Isabel refuse de lever la tête. Au bout d'une interminable gêne, la petite demande la permission de se retirer. Sa mère croise les bras sur sa poitrine, déçue; de la tête, elle la congédie. Isabel, qui n'attendait qu'un signe pour disposer, remonte en courant à l'étage chercher son sac dans sa chambre, redescend à toute vitesse et file dans la rue. Sans m'adresser un regard.

— Je suis désolée, me dit Elena.

— Bah! Ce n'est pas méchant. Elle m'en veut un peu, mais ça lui passera. Je suis sûr que la prochaine fois elle se conduira autrement.

— Elle t'en veut parce qu'elle t'aime. Elle garde ta photo dans son journal intime. Si elle ne parle pas de toi, elle te parle lorsqu'elle est seule dans sa chambre.

Elle me saisit la main et m'entraîne dans la cuisine.

— Viens, je t'ai préparé les gâteaux dont tu raffolais.

— Je n'ai pas faim, et il y a Félix qui m'attend dans le taxi.

— Libère-le. Mon voisin te déposera. Il a une voiture et il ne fait que dormir dedans.

Elle m'installe sur une chaise autour d'une petite table. J'ai du mal à avaler les petits-fours qu'elle a préparés pour moi. Je ne suis pas triste, je suis soucieux ; ma fille pourrait m'avoir renié à jamais. Je n'ai senti en elle ni émotion ni cœur qui bat.

— Comment va Ricardo?

— C'est le monde qui bouge, pas lui.

— Pourquoi n'est-il pas venu avec toi?

— Il a un empêchement, comme sa sœur.

Ses doigts tendres effleurent les miens.

— Ça lui passera, à lui aussi, me souffle-t-elle dans un halètement. Un jour, il va se rendre compte que lorsqu'on n'a pas toute sa tête, on doit écouter ses parents. Je sais qu'il est malheureux. C'est le fruit de mes entrailles, j'ai mal quand il a mal. Je l'avais pourtant prévenu que ce n'était pas une bonne idée.

— De quelle idée parles-tu, Elena? Lui arrive-t-il d'en avoir?

— Tu n'es pas au courant?

— Au courant de quoi?

— C'est lui qui a obligé sa petite amie à épouser un Espagnol qui travaillait au consulat.

— Qu'est-ce que tu racontes?

Isabel retire ses doigts pour me fusiller du regard.

— Décidément, tu vis sur une autre planète. Ton fils déconne, et toi, tu regardes ailleurs. Pourquoi, moi, depuis Regla, je sais exactement ce qui se passe à Casa Blanca? Et toi, qui partages sa chambre, tu ne te doutes de rien?

— Je traverse une zone de turbulences, ces dernières semaines. Cela ne signifie pas que je néglige mon fils. Il est compliqué, mais je l'ai à l'œil. Je crois qu'il envisage de s'enrôler dans l'armée. Ce ne serait pas une mauvaise chose. Il n'y a que la discipline militaire pour le remettre sur le droit chemin.

— Qu'est-ce qui te fait croire qu'il veut rejoindre l'armée?

— Il guette chaque matin le facteur. Je ne vois pas qui pourrait lui écrire, à part un bureau de recrutement.

Elle rejette la tête en arrière dans un rire aussi sec que bref.

— Tu vois ? Tu es toujours à côté de la plaque. Ton fils attend une lettre de son ex-petite amie qu'il a obligée à se marier avec un diplomate. Elle ne voulait pas de l'Espagnol, mais ton fils a menacé de se couper les veines si elle refusait. Dans sa petite tête, il avait un plan tout bête. Il était persuadé qu'une fois à l'étranger, son amie pourrait lui procurer des papiers ou un visa ou je ne sais quoi pour l'aider à quitter le pays, et une fois en Europe, qu'elle l'aiderait à régulariser sa situation, puis qu'elle divorcerait d'avec l'Espagnol pour l'épouser.

Cela me scie en deux.

Ahuri, partagé entre le fou rire et la crise de nerfs, je prends mes tempes entre mes mains pour empêcher mon crâne de voler en éclats.

— Mais il est complètement taré, Ricardo. Comment a-t-il pu croire à une telle idiotie ? Un gamin de dix ans n'imaginerait pas un scénario aussi débile.

— Ton fils n'a pas plus de cervelle qu'une tête d'épingle.

— Qui t'a raconté ça ?

— Isabel. Ils se voient à la sortie du collège. Ricardo lui a demandé si elle voulait partir avec lui à l'étranger. Elle lui a expliqué à maintes reprises que son plan ne tenait pas debout, mais lui y croit dur comme fer. C'est la raison pour laquelle il attend du courrier chaque matin depuis sept mois, convaincu que sa petite amie est en train de courir d'une mairie à une préfecture pour lui faciliter l'exil.

Je suis lessivé.

— Ce garçon m'étonnera toujours.

— Moi, il m'inquiète. Promets-moi de le surveiller de près.

De nouveau, ses doigts effleurent les miens, remontent lentement le long de mon bras. Sa voix tremble et sa respiration s'accélère lorsqu'elle me demande comment je la trouve.

— Tu es aussi mignonne qu'avant, reconnais-je.

Elle s'approche un peu plus ; sa cuisse s'appuie contre la mienne, et son souffle s'intensifie.

— Je me suis faite belle pour toi.

Quelque chose dans son regard me met mal à l'aise.

— Félix m'attend dehors.

— Juan, tu ne peux pas savoir combien je te regrette. Je pense à toi tous les jours. Et dans mon lit, je t'imagine à la place de Raul, et ça ne marche pas. Parce que tu es unique. (Elle est presque debout, penchée sur moi.) J'ai été aveugle, Juan, aveugle et stupide. Je n'ai pas saisi ma chance. Elle était dans ma main, bien à l'abri, mais j'ai lâché prise, et elle s'est envolée comme un papillon de nuit. (Soudain, elle défait d'un geste brusque son corsage, et sa poitrine se répand sur mon visage dans une avalanche de parfum et de frémissements ardents.) Prends-moi, Juan, prends-moi comme tu me prenais autrefois, prends-moi là, sur la table, par terre, ou sur les marches de l'escalier, je suis toute à toi, comme tu veux, comme tu le souhaites, ça fait des mois que je ne sens plus rien avec les autres hommes.

Je m'enfuis sans demander mon reste.

13.

Javier nous a sorti son numéro avant que nous ayons touché à notre dîner. En voyant tout ce monde autour de la table dans la cuisine, nourri, blanchi et logé à ses frais, il a piqué sa crise en proférant des allusions blessantes. J'ai repoussé mon assiette et quitté la maison, si offensé que Serena n'a pas osé me rattraper.

Je suis passé chez Panchito, mais le vieillard était trop préoccupé par l'état de santé de son chien pour me prêter attention.

Je me suis alors rabattu sur le tram vert, et elle était là, assise sur la banquette du fond, effondrée et silencieuse.

Je l'ai reconnue immédiatement grâce à la lumière du lampadaire derrière elle qui faisait flamboyer sa chevelure rousse comme un soleil naissant.

— Te voilà revenue.

Elle renifle en repliant les genoux, les bras serrés autour des cuisses.

— Où étais-tu passée l'autre nuit? Je t'avais apporté une couverture et de quoi manger.

Ses épaules tressautent; elle sanglote d'une voix étouffée.

Je m'approche d'elle, avec précaution pour ne pas l'effrayer.

— Est-ce que ça va?

J'essaye de lui relever le menton; elle se projette en arrière, vive comme un escargot qui se retranche dans sa coquille. En reculant, son visage attrape la lumière du lampadaire et je remarque du sang sur sa peau.

— Tu es blessée?

— Laisse-moi.

— Il y a un dispensaire non loin d'ici. Je connais le portier.

— Je ne veux pas voir de médecin.

— Qui t'a fait ça?

— Je n'en sais rien. Il faisait noir.

— Je t'avais prévenue. La nuit n'est pas sûre. Il y a des ivrognes qui traînent dans le noir... Il faut que je t'emmène à la police déposer plainte.

— Non.

— Tu as été agressée, voyons.

— Je ne veux pas aller à la police. On m'arrêterait comme mon frère.

— Il s'agit peut-être du détraqué qui s'attaque aux personnes isolées. On ne peut pas le laisser dans la nature.

— Je te dis qu'il faisait noir.

— A-t-il abusé de toi?

Elle ne répond pas.

Je m'accroupis devant elle, tente de lui prendre la main; de nouveau, elle recule, sans violence cette fois.

— J'en ai marre, gémit-elle.

Je sors ma petite lampe de poche et constate d'autres éclaboussures de sang sur ses bras et sur le devant de sa robe.

— Tu ne peux plus rester livrée à toi-même. Si tu t'en es tirée ce soir, ça pourrait très mal se passer la prochaine fois. Pourquoi ne viendrais-tu pas avec moi, chez ma sœur? Elle t'hébergerait le temps d'y voir plus clair dans ton histoire.

— Je suis d'accord, approuve-t-elle avant que j'aie fini ma phrase.

La spontanéité de son acquiescement me surprend, mais j'en suis ravi.

— Alors, viens.

Elle s'essuie la figure dans un pan de sa robe, prend appui contre le dossier d'un siège pour se hisser.

Je me précipite pour l'aider. Elle m'esquive.

— Je t'en supplie, ne me touche pas. Je suis encore capable de marcher.

Et elle me suit, docile, consentante; j'en déduis que sa détresse est telle qu'elle suivrait un ours dans sa tanière.

Javier s'est calmé. Il a rejoint son divan dans le salon et suit avec passion un film à la télé, littéralement scotché au petit écran. Les autres parents ont regagné leurs chambres respectives comme des troufions soumis à l'extinction des feux.

Serena n'a pas hésité une seconde en voyant la jeune fille en pleurs et en sang. Elle n'a pas posé de questions. Elle a juste lâché «pauvre fille!» avant de conduire l'inconnue dans la salle de bains.

Je suis resté avec mon beau-frère dans le salon à fixer sans voir les images en noir et blanc qui défilent sur l'écran moucheté de parasites.

En entendant la porte de la salle de bains s'ouvrir, je retourne dans le hall. La jeune femme est drapée dans une serviette-éponge, les cheveux mouillés collés à son cou. Serena l'a douchée, frictionnée, et l'a sortie de sous l'eau aussi propre qu'une poupée dans sa boîte cachetée.

— Elle n'a pas mangé à sa faim depuis des jours, m'informe ma sœur en installant la jeune fille dans la cuisine. Après, je lui confectionnerai un bon matelas. Elle couchera avec Lourdes et Chus. Tu peux aller te détendre un peu. Je m'occupe d'elle.

Je regagne le salon où Javier somme sourdement un personnage de se dépêcher de déguerpir car la police ne va pas tarder à débarquer. L'acteur est paniqué. Il vient de régler son compte à un avocat véreux – une issue qu'il n'avait pas préméditée, puisque le coup de feu est parti par accident. Maintenant que les sirènes retentissent au loin, Javier, qui de toute évidence a pris en sympathie le tueur, se trémousse sur son siège, surexcité et angoissé de voir son héros pris au piège. «Saute par la fenêtre et taille-toi par les toits», grogne-t-il en cognant sur l'accoudoir. Mais le meurtrier ne sait où donner de la tête. Il dévale l'escalier et, au moment où il atteint le vestibule, la porte s'ouvre avec fracas sur des policiers armés. «Tu es fait», lance le chef, le pistolet à l'affût d'un geste hostile. Le tueur pivote sur lui-même pour s'enfuir; il est criblé de balles au milieu des marches. Javier se dresse d'un bond, manque de se casser la figure à cause de sa jambe amputée, retombe dans son siège en pestant : «Je l'avais mis en garde depuis le début du film. Attention, que je lui disais tout le temps, cet avocat, c'est un tordu. Il va t'arnaquer, méfie-toi. Et voilà où ça mène quand on n'écoute pas.»

Je juge sage d'aller voir où en est Serena avec la jeune femme.

Serena l'a mise au lit.

— Elle a à peu près la taille de Chus, observe ma sœur en farfouillant dans un placard. Pour les sous-vêtements, j'en ai à la pelle, mais les robes, je n'en ai pas beaucoup.

— Je lui en achèterai, demain. Sa blessure est grave ?

— Elle n'a que des écorchures aux jointures des doigts. Rien de méchant.

— Il y avait du sang sur sa robe.

— Elle a dû se défendre comme une louve.

— Tu l'as *examinée* ?

Serena extirpe une chemise de nuit, l'étend devant elle.

— Elle n'est pas neuve, mais je pense qu'elle fera l'affaire.

— Je t'ai demandé si tu l'as *examinée*.

— J'ai entendu. Si elle a été violée, elle ne m'a rien dit. Il faut la laisser se reposer. Elle est encore sous le choc...Tu comptes la garder chez moi pendant combien de temps ?

— Je ne sais pas.

Serena plie la chemise sur son bras, referme d'un coup de genou le battant de la porte du placard.

— Si ça ne tenait qu'à moi, je l'adopterais sur-le-champ. Mais ce n'est pas moi qui commande à la maison, me rappelle-t-elle.

— Je trouverai bien où la mettre à l'abri.

— Mayensi est d'accord ?

— Qui est-ce ?

Serena sourcille.

— Quoi ? Tu ne connais même pas son nom, à cette fille, et tu me la ramènes ? Elle a peut-être des problèmes avec la justice.

— Je t'assure que non. Elle vient de l'arrière-pays chercher du travail à La Havane. C'est une pauvre paysanne qui veut s'émanciper.

— Tu l'as rencontrée où et quand ?

— Je l'ai surprise en train de dormir dans le tram près de la station, il y a trois ou quatre semaines. Elle n'avait aucun endroit où aller. Au début, ça ne m'a pas intéressé. Maintenant qu'elle a échappé de justesse à un obsédé, je me sens concerné.

— Mais enfin, Juanito, tu ne la connais pas. C'est peut-être une voleuse.

— Voyons, Serena, est-ce qu'elle a l'air d'une voleuse ?

— Et ça a l'air de quoi, une voleuse ?

— Je t'en supplie, rends-moi service.

— C'est ce que je n'arrête pas de faire depuis un demi-siècle, sauf que là, tu abuses.

Je la couve de ce regard auquel elle n'a jamais su résister ; elle serre les lèvres et cède.

— D'accord, je l'héberge quelques jours, le temps qu'elle se remette, mais que dois-je dire à Javier s'il s'aperçoit qu'il a une bouche supplémentaire à nourrir ? Tu as vu comment il se conduit, ces derniers temps.

— Je te promets de régler ça très vite.

Elle réprime un soupir, me fixe droit dans les yeux, longuement, profondément.

— Ah ! les hommes, laisse-t-elle tomber. Tous les mêmes.

Mayensi va mieux.

Le repas chaud de la veille et une bonne nuit de sommeil sur un vrai matelas, dans des draps propres et doux fleurant l'amidon, ont ramené un peu de couleur à ses joues. Elle ne s'est pas totalement remise de son choc, cependant elle boit son café sans trembler des mains. Serena l'observe en silence, un sourire maternel sur les lèvres, prête à la couver si un frisson hérissait le duvet de ses bras fins et blancs. Je la trouve un peu envahissante, mais puisqu'elle nous offre à tous le gîte et le couvert, je ne lui conteste pas certains privilèges.

Mayensi est à l'abri ; c'est ce qui compte pour l'instant.

— Pour le petit-déjeuner, tu attendras le deuxième service, me lance Serena. Les lève-tôt ont tout raflé, et Mayensi a une faim de loup.

— Je prendrai mon café en ville.

Mayensi ne lève pas une seconde les yeux de son bol qu'elle tient obstinément entre ses doigts fuselés. Elle se retranche derrière les franges qui lui masquent le visage et se comporte comme si je n'étais pas là.

— Ne reste pas planté comme un geôlier, me chuchote ma sœur en me chassant de la main sous la table. Tu l'intimides.

J'opine du chef et regagne la rue en sifflotant, pareil à un adolescent qui découvre les joies de la puberté pour la première fois.

En passant devant la maison de Panchito, je suis surpris de découvrir le vieillard en train d'effectuer des pompes. Lui qui ne se réveille jamais avant midi, le voilà qui s'adonne à des exercices physiques à huit heures du matin. Le torse nu ruisselant de sueur, les jambes jointes et les mains solidement plaquées contre le sol, il descend, monte, descend, les veines de son cou gonflées à bloc.

Je pousse la petite grille et vais m'asseoir sur le caisson en face de la chaise à bascule. Il y a du café dans une casserole, je m'en verse une tasse en observant le vieillard qui ahane et craque de tous ses os sur un reste de plancher. Quand il se relève enfin, éreinté mais satisfait, il commence par se laver le buste avec l'eau de pluie recueillie dans un baril à mazout, se frotte sous les aisselles et autour du cou, puis, le souffle régulé, il vient vers moi en s'épongeant dans une serviette de plage usée jusqu'à la trame.

— Tu te prépares pour les Jeux olympiques des centenaires ? le taquiné-je.

— Il me faudra attendre quinze ans pour avoir le droit d'y participer.

— Vas-y mollo. À ton âge, faire du sport comme ça, du jour au lendemain, ce n'est pas raisonnable. Ton cœur risque de lâcher au beau milieu d'un effort anodin.

— Je recycle mes poumons. Depuis le temps qu'ils cumulent le goudron des cigarettes et la lie des mauvais vins.

Il exécute quelques mouvements pour s'oxygéner, respire, expire, renverse la tête en arrière, les narines si dilatées qu'elles pomperaient tout l'air du quartier, et se laisse choir dans sa chaise à bascule.

— Comment va ton chien ?

— Orfeo a un cancer, déclare-t-il sans une once d'émotion, ainsi que s'il s'agissait d'une banalité.

— Tu dis ça comme ça.

— Comment veux-tu que je le dise ? Je m'y attendais. On ne doit pas trop s'attacher à ce qu'on ne peut pas garder.

Je suis choqué par son impassibilité.

— T'arrive-t-il de pleurer ?

— J'ai pleuré toutes les larmes de mon corps, il y a cinquante ans. Aujourd'hui, même mon sang a séché dans mes veines. (Il ingurgite un bout de galette sur le plateau posé à côté de lui, s'envoie une rasade avant de revenir vers moi.) Pourquoi cette question?

— Je croyais que ton chien comptait énormément pour toi.

— J'ai surtout énormément compté sur lui. Il m'a donné bien plus que ce que je lui ai donné.

— Ça ne se voit pas. Tu n'as même pas de chagrin pour lui.

— C'est la vie. On ne sait pas pourquoi on vient au monde ni pourquoi on le quitte, et le chagrin n'explique pas grand-chose.

— Tu disais que tu aimais ton chien plus que toi-même.

— Aimer n'est pas posséder. Dans ce genre de rapport, il faut savoir rendre ce qui ne nous appartient pas. Depuis que j'ai accueilli Orfeo, je m'attends à devoir le rendre un jour. Ce jour est en train d'arriver. Comme un huissier. Pour appliquer les lois de la nature.

Il plisse les paupières sur un souvenir ou une pensée, hoche la tête et raconte du bout des lèvres, comme s'il soliloquait :

— Je me préparais à piquer un somme, là-bas, sous le porche. Seul. Depuis si longtemps seul que j'étais devenu mon unique interlocuteur. Je ne voulais voir personne. Pourtant, au fond de moi, j'espérais que quelqu'un arrive. Et Orfeo est arrivé. Il n'était encore qu'un chiot ébouriffé et affamé qui cherchait dans la poussière l'odeur de sa mère.

Il s'est glissé par-dessous la grille, m'a regardé avec ses yeux tristes ; comme je ne réagissais pas, il s'est enhardi et traîné jusqu'à moi en gémissant. Il s'est recroquevillé à mes pieds et n'a plus bougé. On ne s'est plus quittés depuis. Orfeo et moi, c'est le seul épisode de mon histoire qui mériterait d'être retenu. Ce que j'ai vécu avant de le rencontrer n'est qu'un synopsis bâclé...

Il décroche un gilet de corps étendu sur une cordelette au-dessus de lui, l'enfile et s'enfonce dans sa chaise à bascule.

— Je n'ai pas envie de pleurer, Juan. Je n'ai pas envie d'avoir du chagrin. Ça ne servirait à rien. Orfeo va mourir. Personne ne peut y changer quelque chose. Je remercie le hasard de l'avoir mis sur mon chemin. Mais tous les chemins finissent par s'arrêter quelque part. Le nôtre s'arrête là. C'est aussi simple que ça.

Sur ce, il ramasse un chapeau cabossé qui traînait par terre, le rabat sur son visage et commence à se balancer lentement pour me signifier que notre entretien est terminé.

14.

Je commande un café à la terrasse d'un troquet et attends l'ouverture des magasins.

Alonso Fuentes est une vieille connaissance qui habitait dans mon quartier quand nous étions enfants. Fourbe comme un coup du sort, il troquerait son âme contre n'importe quelle rapine. Sa vie durant, il n'a fait que s'attirer des ennuis. Quand il n'était pas plus haut qu'une asperge, il adorait s'accrocher à l'arrière des camions en marche, lapider les chiens et empêcher les voisins de piquer une sieste. Avec l'âge, il a poursuivi ses diableries et élargi son champ de manœuvres ; il est devenu maître ès escroqueries. Si ce n'est pas un voisin floué, c'est un parent qui le traîne en justice pour abus de confiance. Mais Alonso, dit El Loco, refuse de se ranger. On dirait qu'il ne peut pas se passer des procès ni de la prison. Si, au bout d'un mois, aucune tuile ne lui tombe sur la tête, c'est lui en personne qui secouera les toitures. On l'a enfermé plus d'une fois dans un asile. Alonso a tiré de chaque internement un enseignement. Il a appris à graisser les pattes, à se fabriquer des alibis, à constituer des réseaux, et a fini par user les juges et les policiers. Au point que, lorsqu'on porte plainte contre lui, on persuade la victime de passer l'éponge et d'épargner ainsi à beaucoup de fonctionnaires des procédures éprouvantes qui n'arrangeraient ni les affaires de l'État ni celles des geôliers.

Grâce à ses magouilles, Alonso a réussi à acquérir une échoppe dans l'arrière-boutique de laquelle il écoule des produits de contrefaçon acquis au marché noir. La police le sait ; si elle ferme les yeux sur ses petits trafics, c'est pour ne pas le *perdre de vue* : maintenant qu'il a pignon sur rue, on n'a plus besoin de lancer des avis de recherche tous azimuts pour lui mettre le grappin dessus.

Comme chez n'importe quel seigneur, la ponctualité n'est pas le souci majeur de notre receleur. Il vient quand il veut, baisse le rideau quand ça lui chante, et si une combine pointe à l'horizon, on ne le revoit pas de sitôt.

Au moment où je commence à m'impatienter, je l'aperçois qui dévale une rue en escalier, la casquette enfoncée jusqu'aux oreilles, les épaules en avant, les bras arqués, semblable à un varan arpentant son territoire.

Je lui laisse le temps d'ouvrir sa boutique et d'épousseter son capharnaüm avant de le rejoindre.

— Juan, s'écrie-t-il en ouvrant ses bras démesurés pour m'accueillir. En voilà une surprise...

Qu'est-ce qui t'amène, toi qui n'es jamais venu au parloir me réconforter?

— J'avais peur qu'avec tes tours de passe-passe tu permutes nos places et que je me retrouve avec ton matricule de taulard sur le dos.

Il éclate de rire, contourne le comptoir pour me serrer contre lui.

— Il paraît qu'on t'a viré du Buena Vista?

— Qui t'a raconté ces ragots?

— Ton cousin Félix. Il vient parfois me proposer des fringues que les touristes lui cèdent. C'est un drôle de numéro, ton cousin. Il fait croire à ces demeurés d'étrangers que c'est pour les nécessiteux, et des fois, il me ramène des fringues dignes d'un monarque. Tiens, suis-moi que je te montre mes trésors.

Il me pousse dans un cagibi croulant sous des piles de T-shirts, de pantalons, de chemises accrochées à des cintres, de vestes, de robes scintillantes, de costumes dans leurs emballages et de chiffons indéfinissables dont les jeunes raffolent.

— Vise-moi ça! s'exclame-t-il en déroulant un manteau en cachemire. On m'en a offert une fortune, mais j'ai préféré le garder pour mon gendre. Ce sera son cadeau d'anniversaire. N'est-ce pas qu'il est classe? C'est du Pierre Cardin, ajoute-t-il en m'indiquant une étiquette sur le revers du col.

— Les nécessiteux sont moins à plaindre que moi.

— Non, celui-là, ce n'est pas Félix, mais une allumeuse qui l'a chipé à un Portoricain. Elle me l'a troqué contre des strings et trois chemises de nuit... Et ça, un vrai costard d'acteur. Je l'ai un peu rafistolé, mais ça ne se voit pas. Et ça...

— Alonso, l'interromps-je, on n'est pas au musée. J'ai seulement besoin de deux ou trois robes ordinaires et de sous-vêtements féminins.

— Qu'est-ce que tu entends par ordinaires?

— Des robes pas chères.

— Dans ce cas, va dans les boutiques de l'État. Ici, je vends de la frime, et ce n'est pas à la portée de n'importe qui.

J'ignore comment il est parvenu à me dépouiller de mon dernier *CUC* en me fourguant deux robes, deux slips et un soutien-gorge qui tiendrait à peine sur la poitrine d'une poupée.

Je rentre à la maison à l'heure du déjeuner. Les femmes sont en train de s'affairer dans la cuisine, les hommes se tournent les pouces dans la cour. Mayensi est dans le salon, sagement assise en face de Javier qui lui relate les péripéties de son séjour en Angola. Javier n'apprécie pas que les invités s'attardent chez lui, mais il n'hésiterait pas à léguer la maison et sa pension d'invalide à toute personne susceptible de se prêter à ses faits d'armes à lui. Il est justement en train de raconter les embuscades meurtrières qu'il avait négociées dans les brousses africaines. Mayensi l'écoute avec infiniment d'intérêt. J'attends qu'elle daigne lever la tête pour lui montrer le paquet; elle feint de ne pas comprendre ce que je lui veux.

— C'est pour toi, lui dis-je du bout des lèvres.

Du menton, elle me signifie qu'elle ne peut pas disposer tant que le vétéran n'aura pas fini son récit. Connaissant les délires de Javier, je n'insiste pas et me rabats sur la cour. Augusto, le mari de Pilar, ma belle-sœur et mes neveux discutent à propos du psychopathe qui épouvante les bas-quartiers. Pour Augusto, il s'agit d'une simple coïncidence, car rien n'indique que les agressions aient été commises par le même individu; pour mes neveux, si l'État ne bouge pas le petit doigt pour neutraliser le tueur, c'est qu'il y a anguille sous roche.

— Quelle anguille? s'énerve Augusto qui est un fervent militant. Vous n'avez que ça à la bouche, vous, les jeunes. Dès que quelque chose n'est pas clair, vous chargez le Pouvoir. Il faut arrêter avec votre paranoïa. Je suis sûr que ces meurtres ne sont que des parties de soûlerie qui ont dégénéré. Deux des trois victimes avaient plus d'alcool que de sang dans les veines. Des paumés qui passaient leurs nuits à harceler les putains sur les terrains vagues. Je vous interdis de soupçonner le gouvernement. Vous ne faites que relayer la propagande impérialiste qui tente de nous déstabiliser.

Mes neveux jugent sage de garder leurs allégations pour eux. Augusto dénoncerait sa propre mère si elle diffamait nos responsables politiques.

Par-dessus le muret de la cour, je vois mon fils Ricardo. Il est à moitié allongé sur un carton au milieu du trottoir, le coude fiché au sol, la nuque tordue. S'il se tient à l'écart, c'est pour ruminer en paix ses soucis. Le facteur n'a toujours rien pour lui, mais mon fils garde la foi.

Il me fait de la peine, Ricardo. Le regarder se décomposer au soleil comme un fruit tombé de son arbre et ne pas pouvoir y remédier tisonnent ma conscience; je me sens si démuni, coupable d'être inutile. Bien sûr, j'aimerais le réconforter, le conseiller, gagner sa confiance et lui prouver que je l'aime, mais comment lui faire rentrer dans le crâne que je suis son père si je ne suis pas fichu d'être à ses côtés dans les moments difficiles? Ricardo n'accorde de crédit à personne dans la famille. Il évolue dans un pays où les rêves sont ailleurs, ployé sous le drame d'une jeunesse livrée à elle-même, certaine que si elle venait à décrocher la lune, les gardiens du temple la lui confisqueraient car, à Cuba, tout ce qui ne relève pas de l'État, à défaut d'être réprimé, est saisi.

J'ai du chagrin pour lui et pour cette jeunesse qui ne connaît du monde que ce qu'en montrent les films «piratés», et quelques dignitaires auto-proclamés portant des tenues de combat en temps de paix et délestant le ciel de ses étoiles pour en garnir leurs galons... Hélas, les choses nous dépassent tous, agneaux et bergers. On voudrait bien positiver, croiser les doigts sans croiser les bras et continuer de croire que tout finira par s'ar-ranger, mais sur quel registre placer un pays qui dispose de deux monnaies : le peso centavo pour les assistés et le *CUC* pour les débrouillards? Qu'attendre des lendemains quand le soir se couche bredouille sur La Havane, hormis les jours qui se clonent à tour de rôle, tournant en boucle comme des rapaces sans jamais rien apporter de nouveau. Je me suis toujours demandé, en sortant du cimetière après avoir enterré un voisin ou un proche, qui, des vivants ou des morts, se retrouvait en enfer.

Quand je songe à ces gamins qui ne cherchent qu'à fuir clandestinement l'île, j'ai soudain peur pour mon fils. Mon cœur se crispe comme un poing chaque fois que j'imagine Ricardo tentant de gagner la Floride à bord d'une embarcation rudimentaire – la nuit, dans mon sommeil, il m'arrive de me réveiller en sursaut et en nage, submergé par une mer jonchée de cadavres flottants...

Serena nous annonce par la fenêtre qu'il est l'heure de passer à table. Je fais signe à mon fils de se joindre à nous ; Ricardo hausse les épaules et se ramasse autour de sa mauvaise humeur.

Après le repas, qui s'est déroulé dans le silence à cause des accès bipolaires de Javier, Augusto se rend en ville où il travaille comme veilleur de nuit, mes neveux optent pour un terrain vague dans l'espoir de provoquer un match de foot, Ricardo part de son côté je ne sais où, et les femmes se réfugient dans la chambre de Pilar pour échanger les derniers potins.

Mayensi reste pour aider Serena dans la cuisine.

— Je t'ai apporté des vêtements, lui annoncé-je, le paquet bien en évidence.

— Pose-les sur la chaise dans le vestibule, grogne Serena agacée par ma présence.

— Il faut qu'elle les essaye maintenant, insisté-je. S'ils ne lui vont pas, je retourne les échanger. Tu sais comment ils sont, les boutiquiers. Si tu ne rappliques pas le jour même pour leur rendre leur camelote, ils font semblant de ne pas te remettre.

Serena me décoche un regard sévère.

— Tu n'as rien d'autre à faire ?

— Justement. Il faut que je sache si je dois retourner chez le boutiquier ou bien vaquer à mes occupations.

Mayensi rince la vaisselle dans l'évier en m'ignorant. Pourtant, si je suis là, coincé dans l'embrasure, mon paquet à la main, c'est pour mériter un signe de sa part ou l'esquisse d'un sou-rire. Mais Mayensi s'obstine à me tourner le dos et j'ai l'impression frustrante d'être invisible.

Serena lui a fait couler un bain, a passé une éter-nité à la coiffer et à l'habiller avant de me la pré-senter comme un peintre expose sa meilleure toile à la postérité. J'en ai le souffle coupé. Mayensi est belle à illuminer à elle seule toutes les pièces de la maison. On dirait que la robe a été créée pour elle par le plus prestigieux des couturiers. Elle colle à sa silhouette comme une seconde peau, accentuant les courbes vertigineuses de ses hanches et rehaus-sant avec infiniment de générosité l'opulence de sa poitrine. La chevelure rousse confère à son visage un éclat si pur, si translucide, que je l'enfermerais volontiers dans une lampe merveilleuse.

— File *vaquer à tes occupations*, maintenant, me somme Serena, amusée par les feux follets qui farandolent dans mes prunelles et dont je vois le reflet sur le sourire avisé de ma sœur. Les deux robes lui vont à merveille.

Comme je ne parviens ni à articuler une syllabe, ni à remuer un doigt, Serena me pousse gentiment vers la sortie en me soufflant :

— Ne t'emballe pas. Elle n'a que vingt ans, le tiers de ton âge.

L'insinuation de ma sœur me blesse. Mais je lui pardonne car elle est à mille lieues de deviner le séisme qui chamboule mon être et l'ensemble de mes certitudes. Ce que je ressens pour Mayensi, je ne l'ai jamais éprouvé avant. Bien qu'elle ne fasse que le tiers de mon âge, elle possède déjà une bonne partie de mon âme.

Lorsqu'il m'arrive d'arracher un mot à Mayensi, je m'en contente pour le reste de la journée. Mayensi ne sourit pas encore, ni à moi ni à personne ; elle ne parle pas souvent, non plus ; elle passe son temps à ranger les chambres et à s'acquitter d'un nombre incalculable de corvées, malgré la désapprobation de ma sœur, pour mériter l'hospitalité qu'on lui accorde.

Au bout de quelques jours, les femmes commencent à me trouver envahissant. Je suis constamment dans leurs pattes, à traquer le regard de Mayensi, à la dévorer des yeux. À table, j'en oublie de manger, indifférent aux moqueries qui défilent sur les visages autour de moi, aux signaux des sourcils et au langage codé des lèvres qui s'étirent chaque fois que Serena me rappelle que ma soupe a refroidi. Je suis conscient de l'objet de curiosité que je suis devenu, sauf que je n'en ai cure. Je suis tellement ébloui par *ma* fugueuse aux cheveux crépusculaires que tout ce qui n'est pas elle est relégué au second plan.

Je me rends compte que je suis presque tout le temps à la maison. On me chasserait par la porte que je rentrerais par les canalisations. Serena a beau me reprocher mes agissements d'«écolier épris de sa maîtresse», je trouve toujours un prétexte pour opérer à proximité de ma protégée : un meuble à réparer, une prise électrique à changer, mes costumes à repasser. En réalité, j'ai développé une addiction plus forte que toutes les autres : je ne peux pas m'éloigner plus d'une heure de Mayensi. Parfois, obligé de sortir à l'air libre pour une raison ou une autre, je rebrousse chemin avant d'atteindre le bout de la rue et je reviens rôder autour de la maison, à l'affût de cette silhouette qui habite désormais ma chair et mon esprit.

15.

Quand j'étais à l'université, je réduisais les filles aux aventures d'un soir, c'est-à-dire à des moments de partage limités dans l'espace et dans le temps, à des prouesses éphémères que je savourais comme un tube de l'été, persuadé que les tubes de l'été, s'ils se prolongent parfois après leur saison, finissent toujours par lasser. Contrairement à Orimi Anchia, qui savait magnifier ses conquêtes pour garnir son tableau de chasse de trophées faramineux, j'étais surtout imbu de ma personne, si fier qu'aucune beauté ne semblait en mesure de me surclasser. Lorsque Mercedes me reprochait d'être un étourdi – car, je la traitais avec désinvolture et ne remarquais ni les toilettes qu'elle portait ni les coiffures qu'elle improvisait pour me séduire –, je lui riais au nez au lieu de me racheter. Je comptais énormément pour elle, sauf que ce n'était pas ce qui m'importait le plus. Ce que je voulais, ce que j'espérais, ce dont je rêvais sans répit, c'était de me produire sur la plus grande scène de la terre, au beau milieu d'un stade plein à craquer de fans grisés par ma voix se balançant de droite à gauche en allumant des briquets et en entonnant à l'unisson les paroles sorties de ma bouche. C'était la raison pour laquelle je n'avais pas piqué de crise de jalousie lorsque Orimi Anchia m'avait pris au dépourvu en glissant l'alliance au doigt de Mercedes. En réalité, j'étais amoureux de ma voix – ma voix était mon égérie, ma foi, ma folie, si bien qu'au lieu de crier au sacrilège, j'avais chanté pour mon faux jeton d'ami et ma traîtresse de compagne toute la nuit de leurs noces et, tenant le micro comme un magicien sa baguette, j'avais la ferme conviction que le héros de la fête n'était ni la belle Mercedes ni le fringant Orimi, mais bien moi.

Plus tard, en épousant Elena, je ne fis qu'accomplir un devoir citoyen. Je ne cherchais pas l'amour, encore moins un foyer ; j'avais déjà la musique, et le ciel en guise de toit. Je ne me rappelle pas comment je m'étais mis la corde au cou ni sur quelle note du solfège j'avais prononcé le oui. Le seul territoire où rien ne m'échappait, où je prenais le pouls de ma singularité, c'était la scène, lorsque les tambours cadençaient les battements de mon cœur – la scène, toujours la scène, rien que la scène, ce temple fabuleux où, et nulle part ailleurs, j'étais moi-même, entier et unique.

Avec Mayensi, c'est différent. J'apprends de jour en jour à éprouver pour elle ce que je n'ai jamais ressenti pour une femme avant. Une curieuse alchimie s'est opérée en moi, pulsion par pulsion, et n'arrête pas de s'intensifier.

J'avoue qu'à l'instant où je l'ai vue l'autre nuit sur la berge, en slip et en soutien-gorge, une secousse tellurique aussi angoissante qu'une possession m'a fortement ébranlé. Son onde de choc s'est répandue en moi sans rencontrer de résistance, conquérante et certaine de s'ancrer pour toujours au plus profond de mon être.

Un après-midi caniculaire, tandis qu'à la maison grands et petits s'offraient une sieste post-digestive, Mayensi est sortie prendre le frais dans la cour. J'étais à la fenêtre de ma chambre quand je l'ai vue s'accroupir à l'ombre d'un arbre. Elle a ceinturé ses jambes parfaites avec ses bras, posé le menton sur ses genoux et, fixant la pelouse, elle s'est mise à chantonner.

J'ai dévalé les escaliers à toute vitesse pour la rejoindre.

Elle ne s'est même pas rendu compte que j'avais pris place à ses côtés.

Emportée par sa ritournelle, elle oscille lentement au gré des refrains. Ses cheveux de feu lui cachent le visage que je devine empreint d'une douce mélancolie.

— Que chantes-tu ?
— Je chante, c'est tout.
— C'est très beau.

Elle se remet à fredonner avant de laisser échapper, sans détacher le menton de ses genoux :

— Mon père adorait cette chanson.

— Je ne la connais pas.

— On n'est pas censé tout connaître.

Elle serre un peu plus fort ses jambes, ploie davantage l'échine et se tait.

— Tu te sens mieux, maintenant?

— Pourquoi? J'étais malade, avant?

— Je te demande seulement si tu te plais chez nous.

— Je n'ai pas à me plaindre.

— Ta région te manque-t-elle? hasardé-je pour poursuivre la conversation.

— Je n'ai pas de port d'attache, juste des amarres qui me retenaient contre mon gré quelque part.

— Tu n'as pas de famille?

Elle se tourne enfin vers moi, le regard sombre.

— Je ne veux pas parler de ça.

— D'accord...

Elle replonge le menton entre ses genoux et se mure dans un silence dérangeant.

Jamais solitude ne m'a paru si grande.

— Tu faisais quoi, avant?

Elle hausse les épaules.

— Tu avais bien un projet, non?

— Pour quoi faire?

— Pour s'occuper. C'est évident. Il faut avoir un rêve dans la vie.

— C'est quoi, un rêve?

— Un vieux de la vieille m'a certifié que le rêve est l'enfant prodigue de l'adversité.

— Il a dû oublier de te signaler combien le réveil est douloureux.

— Seulement pour ceux dont l'espoir s'est assoupi.

— Le mien a rendu l'âme.

— Ne dis pas ça. Tu es jeune, belle et en bonne santé.

— J'ignorais que tu m'avais auscultée.

— Je n'ai pas besoin d'être médecin. Il me suffit de te regarder.

— Les apparences sont trompeuses, réplique-t-elle, en posant son regard insondable sur moi.

Je veux ajouter quelque chose ; elle m'interrompt de la main. Nous nous taisons un long moment. Pour moi, l'air et les bruits de la rue se sont neutralisés. Il n'y a que le vide autour de nous deux. Même les feuilles ne frémissent plus dans les arbres.

J'observe la fille du coin de l'œil. Sa nuque a fléchi et ses doigts errent sur l'herbe comme des âmes perdues.

— Ça te dirait d'aller en ville avec moi ? Il y a des sites intéressants à La Havane.

— Pour que la police m'arrête comme mon frère ?

— Personne ne se mettra en travers de ton chemin tant que je serai à tes côtés. Je suis quelqu'un de très respecté. J'ai chanté pour Fidel en personne. Tu n'as pas entendu parler de Don Fuego ?

Elle fait non de la tête.

— Le pyromane magique ? précisé-je.

— Je viens d'un trou perdu. Là-bas, dans le fracas des vagues et les braillements des soûlards, on ne s'entend même pas protester.

— Le jour où tu m'entendras chanter, tous les soucis que tu as dans la tête disparaîtront comme par enchantement.

Cette fois, le regard qu'elle me décoche m'estoque.

— Qui te laisse supposer que j'ai des soucis dans la tête ?

— J'ai dit ça comme ça, sans arrière-pensée.

Elle continue de me dévisager pendant d'interminables secondes avant de se détourner.

— Ça te fera du bien, un petit tour en ville. On ira manger dans un bistro, si tu veux. J'ai envie de te montrer des coins magnifiques.

— Je suis une fille de la mer. J'ai ouvert les yeux sur les flots turbulents, et j'ai attendu tous les soirs sur la plage le retour des pêcheurs.

— Il y a un tas de plages autour de La Havane.

Elle rejette ses cheveux sur le côté d'un mouvement de la nuque et me fait face.

— J'ai envie de me baigner sur une vraie plage, avec du sable blanc et des cocotiers.

Le lendemain, Félix a accepté de nous emmener à la mer. Nous avons cherché durant des heures une plage convenable. Mayensi voulait un site pour elle toute seule. Nous avons fini par déboucher sur une minuscule baie où pas une âme ne troublait la quiétude alentour. Nous avons occupé le haut d'une dune, elle et moi, et nous avons contemplé les flots.

Félix, qui n'en pouvait plus de poireauter dans son tacot brûlant, m'a demandé si nous en avions pour longtemps. Devant notre silence, il a prétexté une course urgente et promis de revenir nous chercher quand nous aurons fini.

Après le départ de mon cousin, Mayensi est allée se déshabiller derrière un cocotier. Je n'ai pas réussi à me détourner. La regarder s'effeuiller, pareille à une fleur paradisiaque, est un moment unique. Avec la rousseur de l'automne dans ses cheveux, l'azur du large dans ses yeux et son corps de rêve, Mayensi est la splendeur incarnée. Elle supplante le soleil et tout ce qui gravite autour. Pour la première fois de ma vie, je maudis le temps qui a consigné mon âge si loin de l'appel de mon cœur et je m'en veux d'avoir vieilli à mon insu, alors qu'elle est si jeune et belle. En se retournant, elle me surprend en train de la désirer et, confuse ou flattée, elle court se jeter dans la mer, pareille à une promesse qui tombe à l'eau.

Ce jour-là, elle a nagé à perdre haleine – à croire qu'elle s'acharnait à reconquérir, brasse après brasse, ce que la vie lui avait confisqué.

On dirait que la mer l'a lavée de l'ensemble de ses tourments.

Mayensi est sortie de l'eau comme du ventre d'une madone, neuve, vierge, essentielle.

Si j'avais une voiture, je l'emmènerais sur toutes les plages de l'île et je resterais sur un banc de sable à la regarder se baigner avec l'intime certitude d'assister à la naissance d'un miracle.

Depuis ce jour, Mayensi n'est plus obligée de supporter les élucubrations de Javier, de se charger des corvées des autres ou de se substituer à l'ombre de Serena. Elle se sent un peu chez elle à la maison où tout le monde la couve avec affection. Mes neveux rentrent de plus en plus tôt pour savourer chaque minute avec elle, si envahissants qu'ils commencent à m'énerver. Je les ai pris à maintes reprises à l'écart et sommés de se tenir tranquilles. Ils me promettent de tempérer leur engouement pour ma protégée, puis, au détour d'une accalmie, ils reviennent à la charge avec leur lot d'anecdotes, amusantes et inventives, absolument ravis de faire rire Mayensi aux éclats – jamais un rire ne m'a paru aussi grandiose qu'une symphonie.

Dans mon coin, relégué au rang de figurant, je m'en veux de ne pas avoir d'histoires drôles à raconter à Mayensi et je me surprends à haïr mes neveux pour leur humour, leur jeunesse, leur sans-gêne, et cette aisance naturelle qu'ils ont à se rendre attachants. Je m'aperçois que je les jalouse comme je jalousais les rockstars portées aux nues par les foules déchaînées de leurs fans. En me dévisageant dans la glace, en passant mes doigts sur les poches en train de tuméfier mes paupières, en découvrant d'autres rides parmi mes rides de la veille, le doute

avive mes craintes et je m'interroge : ne suis-je pas
en train de me laisser piéger par une aventure sans
lendemain qui, à mon âge avancé, ne m'apportera
que d'inutiles chagrins ?

Pourtant, lorsque Mayensi lève les yeux sur moi,
lorsqu'elle me gratifie de son sourire crémeux, je
reprends goût aux choses de la vie et je songe
qu'en amour l'abdication est une mort insensée,
que si j'avais une chance sur mille de conquérir le
cœur de la belle, il me faudrait la tenter contre
vents et marées.

Une nuit, ne parvenant pas à trouver le sommeil,
je suis sorti dans la cour rafraîchir le bûcher en
train d'embraser mes pensées. Je n'en pouvais plus
de me poser des questions auxquelles je ne savais
quoi répondre. J'ai pris place sur une motte de
terre et je me suis livré aux stridulations des fourrés. Au loin, un tambour *batá chachá* s'évertuait à
conjurer les mauvais esprits sans pour autant
inquiéter les miens. Tout près, la rumeur ténue de
la baie se voulait rassurante, et les odeurs qu'exha-
lait la colline remontaient lentement vers la ville
en s'amenuisant, pareilles aux volutes de la brume
matinale que le soleil défait.

J'ai eu envie de fermer les yeux et de pousser si
haut ma voix qu'on m'aurait entendu à l'autre bout
du monde.

Pourquoi déranger un peuple qui dort ?

Je me suis abandonné aux crissements de la
brise griffant les murs, j'ai respiré, respiré, respiré...

Je n'ai pas vu l'ombre se pencher sur moi. J'ai à peine perçu un halètement contre mon cou. Avant de réaliser quoi que ce soit, j'ai senti des lèvres se poser sur ma nuque. J'ai juste eu le temps de voir Mayensi regagner la maison, leste, furtive, semblable à une fée fuyant sa part de faiblesse et qui retourne dans la pénombre se ressourcer. Pendant quelques instants, j'ai cru avoir halluciné, mais la trace des lèvres a continué d'orner ma nuque d'une délicieuse morsure. Mayensi m'a bel et bien embrassé. Pour en garder la preuve, j'ai porté la main sur la brûlure bénie et j'ai pressé dessus longtemps pour l'empêcher de s'estomper.

16.

L'ombre fraîche de l'arbre nous fait du bien.

Nous sommes dans la cour de la maison, Mayensi et moi. Les moucherons bourdonnent autour de nous comme les fragments d'un songe. Une paix magnifique m'habite. Mayensi contemple la baie étincelante de soleil. À mi-chemin de la rive, la *lanchita* cahote sur les flots, surchargée de passagers.

C'est un beau jour pour *croire*.

Nous n'arrivons toujours pas à trouver une passion à partager ou un sujet intéressant à développer, Mayensi et moi. Mais nous sommes assis côte à côte, et cela me comble.

Aujourd'hui, j'ai pris mon courage à deux mains et je lui ai raconté comment et pourquoi j'ai choisi d'être chanteur. Elle m'a écouté sagement, embusquée derrière un sourire si lointain que, par moments, elle donnait l'impression d'être ailleurs.

La *lanchita* atteint la station. Les passagers se ruent sur la terre ferme, se dispersent de part et d'autre du tram vert. Une camionnette déglinguée peine à démarrer, un mécanicien à moitié avalé par le capot. Sur la colline, des gamins s'époumonent ; leurs cris nous parviennent par bribes tourbillonnantes.

— Que signifie le matricule tatoué sur ton bras ? me demande Mayensi.

— Ce n'est pas un numéro, c'est une date : 24-4... Le 24 avril est le jour anniversaire de ma fille Isabel. Je l'ai gravé dans ma chair pour m'en souvenir. Le problème : je l'oublie à chaque fois.

— Quel âge a-t-elle ?

— Douze, treize ans.

— Elle est où ?

— Elle vit avec sa mère, non loin d'ici. J'ai divorcé il y a quatre ans, mais nous gardons d'excellents rapports, mon ancienne épouse et moi. Ça ne marchait pas fort, entre nous deux, moi à chanter tous les soirs, et elle à m'attendre toutes les nuits...

— Tu penses encore à elle ?

— À ma fille ou bien à ma femme ?

Mayensi fait mine de se rétracter.

— Je me mêle peut-être de ce qui ne me regarde pas.

— Ça ne me dérange pas d'en parler.

— Ce n'est pas la peine... Tu as vraiment chanté pour Fidel ?

— Pas seulement lui, réponds-je. Il fut un temps où j'étais constamment sollicité dans les hautes sphères.

— Il est comment, Fidel ?

— Une force de la nature. Quand il pose le regard sur quelqu'un, il le scanne... Il m'a montré son pouce quand j'ai fini ma prestation.

— Ça doit être gratifiant de fréquenter le beau monde.

— Gratifiant, je ne sais pas. Important, c'est sûr. J'aurais pu profiter de mes relations pour m'imposer dans le milieu artistique, sauf que je ne suis pas un opportuniste. Je considère le talent comme l'unique critère pour accéder à la gloire.

Une expression bizarre fuse sur son visage.

— C'est quoi, la gloire? demande-t-elle avec une pointe de dépit. De la poudre aux yeux, sans plus.

— Ce n'est pas mon avis, lui dis-je. Imagine un peu le monde sans artistes, sans cantatrices, sans comédiens. L'existence serait triste à mourir.

— Seuls les poètes méritent les égards.

— Tu es trop sévère.

Mes propos la choquent.

— D'où me connais-tu pour me juger?

— Je ne te juge pas. C'est juste une façon de parler.

— Je la trouve déplacée, ta façon de parler. Nul n'est juge sur cette terre, puisque personne ne peut se mettre à la place de l'autre.

— Je retire ce que j'ai dit, bredouillé-je, déstabilisé par sa volte-face.

Elle continue de me toiser pendant un moment avant de se ressaisir.

— Tu as peut-être raison, concède-t-elle. Je ne vais pas au cinéma, je ne suis jamais invitée à un

concert, et je ne me souviens pas d'avoir croisé un
amuseur public sur ma route. Je vivais recluse dans
mon hameau, avec quelques livres et un recueil de
poèmes. Ce n'est pas assez pour meubler une solitude, mais j'étais trop à l'étroit dans ma peau pour
y caser autre chose.

J'entreprends de délacer mes chaussures, d'un
geste machinal. Je n'ose pas lever les yeux sur elle
de peur de heurter sa susceptibilité qui me paraît
subitement aussi inextricable que désarmante.

Je hasarde :

— Tu es trop injuste avec toi-même. Tu dois
croire dans les lendemains. Tout le monde traverse
des mauvaises passes par moments, mais personne
n'est tout à fait disqualifié. La vie, c'est surtout
apprendre à rebondir.

— Je suis une femme. On m'a appris à subir et
à me taire.

— Je connais beaucoup de femmes qui ont
réussi.

— Moi, pas.

— Qu'es-tu venue chercher à La Havane ?

Elle gonfle les joues, indécise, consulte un pan
du ciel, cherche une réponse, n'en trouve pas. Elle
avoue :

— Ce n'était pas ma destination prioritaire,
La Havane. C'est mon frère qui a insisté.

— Tu n'as toujours pas de ses nouvelles ?

— Non. Si seulement il m'avait écoutée. Il
pensait qu'en ville on pourrait se refaire. Je crois
qu'on ne peut se reconstruire que dans sa tête.

— Ce n'est pas faux.

Elle joint ses mains entre ses cuisses et se remet à contempler la baie.

— C'est où, ton village?

— Bof! Ce n'est pas vraiment ce qu'on appelle un village. Quelques baraques noircies ramassées autour d'un semblant de petit port de pêche, à quelques kilomètres de Manzanillo. Il y a les restes d'un vieux fortin espagnol sur la jetée où j'aimais lire. À part ça, je m'ennuyais ferme.

— Il n'y a pas mieux que La Havane pour se divertir. Je te montrerai des coins formidables et pleins de cabarets.

— Je ne suis pas venue à La Havane pour m'amuser. Si ça ne tenait qu'à moi, je serais allée dans les marais de Zapata.

— Il n'y a que des eaux grouillantes de microbes, là-bas. Une piqûre d'insecte et tu es ou morte ou malade jusqu'à la fin de tes jours.

— Je suis déjà morte plusieurs fois.

Elle me considère d'une drôle de façon et ajoute :

— S'il te plaît, changeons de sujet.

La casquette du facteur met fin à notre conversation. Elle parcourt le muret qui clôture la maison, s'arrête devant le portillon. Le facteur est un petit bonhomme émacié, si petit que sa sacoche touche presque le sol. Il exhibe une enveloppe blanche en sifflotant, content d'avoir enfin du courrier pour mon fils qui, du trottoir d'en face, n'en croit pas ses yeux.

— Hé! lui lance le facteur. Tu veux que je la retourne à l'envoyeur?

Ricardo enjambe d'un bond la chaussée. Il manque de déchirer la lettre en l'arrachant au facteur. Tremblant de la tête aux pieds, il extirpe de l'enveloppe une carte postale et ne tarde pas à se raidir. Ce qu'il vient de lire l'a foudroyé. Il reste un long moment hébété, puis, les yeux chauffés à blanc tournés vers le ciel, il laisse tomber l'enveloppe et la carte postale par terre, et disparaît par un pertuis, hagard, éperdu, pareil à un somnambule.

Je me dépêche d'aller ramasser la carte postale.

Une écriture au stylo gras s'échelonne sur quatre lignes, laconique, expéditive :

Je n'ai rien pu faire au sujet de tes papiers, Ricardo. Je suis sincèrement désolée. Prends soin de toi. Signé : *Maria.*

Je regarde mon fils qui s'éloigne, la mort dans l'âme, perçois nettement son chagrin, mais je n'ai ni la force ni le courage de courir le rattraper.

Je n'ai jamais su négocier avec le malheur.

Dieu soit loué.

Mon fils n'ira pas nourrir le poisson au large de la Floride ni croupir en prison pour émigration clandestine. Ricardo a opté pour la sagesse. Il a choisi de renoncer au matériel, aux tentations de la chair et à l'appel des sirènes; il a décidé de devenir *iyawo*, c'est-à-dire un saint.

Il a débarqué au matin vêtu de blanc de la tête aux pieds, conformément aux exigences de la secte qui vient de l'adopter. Sans nous adresser la parole, il est monté au premier étage récupérer ses affaires et redescendu avec un sac à la main. Il a embrassé Serena sur le front et il a quitté la maison. Je ne lui en veux pas de m'avoir ignoré. Il a choisi de se débrouiller sans moi. Chaque génération croit qu'elle a besoin d'un idéal pour grandir et oublie que le Temps s'en charge très bien. Je suis quand même soulagé. Je m'attendais à ce que mon fiston se mette en danger ; il a choisi de confier son salut à un prêtre qui va l'enfermer une semaine dans une case pour l'initier aux rites de l'obédience. Ricardo devra observer à la lettre les recommandations du gourou. Il ne mangera pas d'œufs, ne s'habillera qu'en blanc, ne forniquera pas, ne fréquentera que les gens de sa nouvelle communauté et s'adonnera une année durant aux exercices de la purification.

L'après-midi, sa mère m'appelle au téléphone. Hors d'elle. Comme d'habitude. D'ailleurs, je me suis toujours demandé de quelle flamme de l'enfer mon ex-épouse était née. Dès que l'occasion se présente, elle éprouve un malin plaisir à m'incendier. Pour elle, quand un malheur se déclare dans la famille, c'est immanquablement à cause de moi. Et si un jour le soleil se levait à l'ouest, elle mettrait sa main au feu que j'y suis pour quelque chose.

— Qu'as-tu fait de mon fils, vaurien ? hurle-t-elle. Tu lui as bourré le crâne pour qu'il te fiche la paix, c'est ça ? Tu n'es même pas foutu d'être bon à quelque chose. Tu ne penses qu'à toi, ne vois que toi, ne te préoccupes que de ce que tu n'obtiendras

jamais. Quand vas-tu apprendre à être responsable? Pour faire des enfants, tu n'as pas ton pareil,
mais les élever, c'est trop te demander. Ricardo en
iyawo? Depuis quand, tiens? Cette saloperie de
secte va le bouffer tout cru. S'il lui arrivait quelque
chose, je t'étriperais comme un vieux porc et je
jetterais ton cœur aux chiens, espèce d'incapable,
profiteur, tire-au-flanc, chiffe molle, parasite, mauvaise graine. Tu es le pire géniteur qui puisse exis-
ter sur terre. Je te hais, je te maudis...

Je la laisse déverser son fiel. Sans parvenir à
placer un mot. De toute façon, ça ne servirait qu'à
la rendre plus enragée encore. Je ne lui en veux
pas. Mon fils a renoncé à l'exil; le reste n'a pas
d'importance.

Luis, le portier, m'annonce que la direction du
Gato Tuerto souhaiterait que je fasse l'ouverture
de la soirée du samedi. J'ai accepté sans poser de
conditions. Il est temps, pour Mayensi, de découvrir le chanteur que je suis. Mais Mayensi décline
l'invitation. Elle refuse de se risquer en ville.
Serena lui propose de nous accompagner, ainsi
qu'Augusto, Pilar, ma nièce, Chus, et l'aîné de
mes neveux, García. Ils ont montré un enthousiasme tel que Mayensi a cédé.

Le Gato Tuerto est plein à craquer. Le chanteur
vedette de la soirée est un jeune qui promet. On le
compare déjà à Marc Anthony. Il est venu me saluer
dans ma loge. Son attention m'a touché. Lorsque le
rideau s'est levé et que j'ai vu Mayensi, au milieu

des membres de ma famille, m'épier dans la lumière tamisée, je me suis emparé du micro et j'ai libéré ma voix comme on rend l'âme pour renaître à la légende. La salle est entrée en état de surexcitation dès mes premiers pas de danse. Pendant que l'auditoire frisait la démence, je ne voyais que Mayensi camouflée sous un foulard. Je ne chantais que pour elle. Je crois qu'elle le savait. Chaque fois qu'elle me gratifiait d'un sourire, ma voix augmentait en décibels.

Mayensi m'a dit, sur le chemin du retour à la maison, qu'elle n'a jamais entendu quelqu'un chanter aussi bien.

Cette nuit-là, j'ai compté toutes les étoiles du ciel.

17.

— Écoutez..., s'écrie Serena.

Le papotage autour de la table cesse, puis le cliquetis des fourchettes et des cuillères se met à s'espacer. Chut !... On déglutit pour ingurgiter dans un effort bâclé ce qu'on mâchouillait ; Javier manque d'avaler de travers, Mayensi lève enfin les yeux de son assiette.

Serena tend l'oreille, nous invite à en faire autant. Par la fenêtre ouverte, parmi le froissement des feuillages et les échos de la rue, nous parvient un souffle cosmique : quelqu'un joue de la trompette.

La musique est si belle, si puissante et juste, qu'elle se répand sur le quartier tel un envoûtement. Nous quittons la table et sortons de la maison, aspirés par un gigantesque aimant. L'air apaisé du dehors se veut tapis volant pour porter chaque note qui monte, monte, monte très haut aviver le scintillement des étoiles. Sidérés, nous pivotons la tête de tous les côtés pour tenter de

localiser l'endroit d'où provient la musique. Des
frissons nous parcourent le corps, hérissent notre
épiderme; existe-t-il encore quelqu'un en ce monde
capable d'exécuter un morceau aussi intense avec
une telle virtuosité? Même les gosses qui tapaient
dans un ballon sur la chaussée ont suspendu leur
jeu et leurs vociférations pour écouter l'appel ver-
tigineux de la trompette. Les voisins commencent
à sortir les uns après les autres de leurs taudis, les
mères avec leurs bébés sur les bras, les vieillards
flottant dans leurs frocs avachis, les jeunes en tricot de peau pour arborer la robustesse de leurs
biceps; en quelques minutes, toute la rue est dehors,
tournée vers cette musique magnifique qui pénètre
les chairs jusqu'aux fibres, qui prend aux tripes et
qui remplit l'esprit de milliers d'étincelles.

Le trompettiste, que la nuit couve précieuse-
ment, souffle dans son instrument comme souffle
l'âme dans les corps inertes pour les ramener à la
vie. C'est d'une magie et d'une générosité telles
qu'on n'entend plus que les soubresauts de nos
cœurs battant la mesure de la partition. Je suis si
ébloui par la luminosité sonore qui émerge de
l'obscurité qu'une larme roule sur ma joue, brû-
lante comme une lave.

Jamais, au grand jamais, je n'ai entendu une partition pareille; tous les gens rassemblés dans la
rue, j'en suis sûr, n'ont jamais écouté une aussi
extraordinaire prestation. La nuit, soudain, n'est
qu'émotion; la brise sur nos visages nous renvoie
une tendresse qu'aucune mère, aucune femme

n'est en mesure de prodiguer tant elle agit sur nos sens, comme si Dieu lui-même nous touchait de sa grâce.

— Qui ça peut être? s'enquiert Serena dans un état extatique.

Je ne le lui dis pas.

Elle devrait le savoir.

Comment ne pas le savoir?

Il n'y a qu'un seul être sur terre capable d'arracher à un instrument de musique des sons aussi bouleversants que les sanglots du Seigneur : Panchito.

Et si Panchito a déterré sa trompette après des décennies d'abstinence, c'est que son chien vient de mourir.

Le matin, je me dépêche d'aller assister mon vieil ami dans sa peine. Il y a un attroupement devant sa baraque. Des ribambelles de mioches dentellent le trottoir, pareilles aux moineaux sur les fils électriques, des femmes et des hommes sont debout à l'ombre des palissades. Mon cœur bondit dans ma poitrine. Panchito se serait-il donné la mort? Ces gens sont-ils là à attendre l'arrivée de la police ou bien l'évacuation de la dépouille? Je presse le pas, avant de me mettre à courir.

Je m'arrête net devant la grille : Panchito se prélasse sur sa chaise à bascule, un chapeau de paille sur la figure.

— Qu'est-ce qui se passe? lui lancé-je en traversant la cour pour le rejoindre. Pourquoi ce rassemblement dans la rue?

— Ils veulent que je leur joue de la trompette. Et moi, j'ai envie qu'on me fiche la paix.

Je lui ôte son chapeau. Le vieillard cligne des yeux à cause du soleil. Il est ivre comme après une insolation.

— Ça va ?

— Pourquoi veux-tu que ça n'aille pas ?

D'un coup de rein, il se remet sur son séant, porte une bouteille de rhum à ses lèvres et s'envoie une rasade qui lui arrache un râle.

— Dis-leur de s'en aller. Je ne veux voir personne.

— S'ils sont là, c'est parce qu'ils ont été touchés par ta musique.

— Je n'ai pas joué pour eux. J'ai joué pour le repos d'Orfeo.

— Ils sont la preuve qu'ils ont partagé ton chagrin.

— Je ne leur ai rien demandé. Qu'ils s'en aillent. Je ne suis pas une bête de cirque.

La bouteille lui échappe et se brise au sol.

Je réalise maintenant pourquoi il s'adonnait aux pompes et aux exercices physiques, ces derniers temps. C'était pour se dégager les poumons, recycler son souffle afin de pouvoir jouer de la trompette à la mort de son chien.

— Panchito...

— Va-t'en, s'il te plaît. Va-t'en et dis à ces énergumènes de foutre le camp, sinon j'appelle l'armée.

— On ne partira pas, nous lance une femme derrière la grille.

— C'est sûr, renchérit un vieux Noir en brandissant le poing. On exige que Panchito nous joue le morceau de la veille.

Un remous se déclare au sein de l'attroupement, des voix s'élèvent crescendo dans un brouhaha enthousiaste. Les gamins quittent le trottoir et viennent essaimer autour de la grille, les plus hardis s'assoient sur le muret et balancent leurs jambes dans le vide.

— S'il te plaît, Panchito, crie un groupe de jeunes. Joue-nous quelque chose. On a séché les cours pour t'entendre.

Le brouhaha reprend de plus belle; tout le monde se met à supplier le trompettiste d'aller chercher son instrument.

— À ta place, je m'exécuterais avec joie, dis-je à Panchito.

— Tu n'es pas à ma place.

— Tu as entendu les gosses? Ils ont séché les cours pour toi.

— On ne partira pas avant de t'entendre, Panchito, s'entête la bonne femme agrippée à la grille.

— Ça, il n'en est pas question, renchérit la foule. On va rester ici, et si les forces de l'ordre nous délogent à coups de matraque et de gaz lacrymogène, nous reviendrons.

Un silence de cathédrale s'abat sur la rue. Plus personne ne bronche. Tous les regards sont braqués sur Panchito.

— Je vais rentrer roupiller, grogne-t-il. Ces énergumènes me tapent sur le système.

Une clameur se lève lorsque Panchito s'arrache à sa chaise et regagne en titubant sa baraque. Les cris de joie et les ovations se multiplient, ensuite, au fur et à mesure que les minutes passent, et ne voyant personne ressortir de la cabane, la ferveur décline avant de céder la place à un autre silence, chargé cette fois de perplexité et d'incompréhension.

Au moment où je décide de m'en aller, outré par l'attitude de mon ami, la clameur repart de plus belle, remuant l'attroupement d'un bout à l'autre : Panchito vient d'émerger de sa tanière, sa trompette dans les mains.

— Entendons-nous bien, déclare-t-il à la foule. Ce sera la dernière fois. Et après, je ne veux voir personne gâcher ma vue sur la mer.

Il m'est impossible de décrire ce dont Panchito nous a gratifiés, ce matin-là. Les mots les plus audacieux paraîtraient dérisoires s'ils s'évertuaient à traduire la charge émotionnelle qu'a délivrée sa trompette.

Le lendemain, devant la baraque de Panchito, tout Casa Blanca s'est massé.

J'ai présenté Mayensi à Panchito. Il l'a trouvée mignonne, «bien roulée», selon son expression, puis il l'a ignorée.

Mayensi a tenu à lui dire combien elle avait aimé sa musique. Le vieillard s'est contenté de hocher la tête avant de faire comme si elle était transparente.

La nuit est tombée depuis un bon bout de temps. Nous sommes sortis faire les cent pas dans la rue, Mayensi et moi. Ça ne nous arrive pas souvent de flâner côte à côte autour de la maison.

— C'est vrai que c'est ton ami, le musicien d'hier?

— On se connaît depuis des lustres.

— Ça me ferait plaisir de le rencontrer.

Je l'ai prise au mot comme elle l'avait fait la nuit où je lui avais proposé de m'accompagner chez ma sœur.

L'accueil de Panchito m'a navré. J'aurais aimé qu'il fasse montre d'un minimum de courtoisie à l'égard de Mayensi; il a été d'une exécrable muflerie et, je l'avoue, je l'ai presque haï.

Nous ne nous sommes pas attardés chez le trompettiste. Comment rester une minute de plus dans la gêne? Panchito n'a pas arrêté d'éructer exprès pour nous être désagréable. Mayensi s'est sentie mal à l'aise. Son admiration pour l'artiste s'est transformée en une froide aversion; elle a eu hâte de s'en aller.

— Ne lui en veux pas, l'ai-je rassurée pendant que nous nous promenions le long la rive. C'est un ours mal léché, mais il ne mord pas.

— J'ai connu pire, a-t-elle laissé entendre, dégoûtée.

— Il y a un zinc non loin d'ici où l'on joue de la bonne musique. Ça te dirait? Ça nous changerait les idées. Des garçons bien, je t'assure. Si tu n'apprécies pas, on rentre.

— Je veux retourner à la maison. Je commence à attraper froid, a-t-elle ajouté en se frottant les bras.

Je l'ai raccompagnée à contrecœur chez ma sœur. Mayensi est redevenue mélancolique. Elle ne me m'a pas dit bonsoir sur le pas de la porte.

Je m'en veux de l'avoir présentée à Panchito. L'inélégance du vieux casanier buté a gâché notre soirée.

Le besoin d'expurger la toxine que la conduite de Panchito m'a inoculée m'oriente vers le zinc. La musique me consolera peut-être de la muflerie des hommes. À mi-chemin, je renonce. Je n'ai plus le cœur à la fête. Le chagrin de Mayensi m'a contaminé. Je décide de rentrer la réconforter.

À la maison, toute la famille est dans la salle de bains. J'ai cru que Javier avait fait un malaise, mais c'est son fils que je découvre sérieusement amoché. Serena finit de lui bander le crâne. Autour de moi, des regards sévères me mettent en joue.

García a la figure en sang, un œil poché, les joues labourées de griffures profondes.

— Un camion lui a roulé dessus ou quoi? demandé-je.

Serena se tourne d'un bloc vers moi, tremblante de rage.

— Tu n'es pas drôle, Juan. Pas drôle pour un sou.

— Qu'est-il arrivé à mon neveu?

— Tu es sûr qu'elle a toute sa tête, la clocharde que tu m'as ramenée? Regarde dans quel état elle a mis mon fils. C'est ainsi qu'elle me remercie. Je l'héberge, la blanchis, la nourris gratuitement, et voilà ma récompense.

— Je t'avais prévenu, García, tancé-je mon neveu. Cette fille est encore traumatisée par ce que son agresseur lui a fait subir. Est-ce que tu m'as écouté ?

García passe la langue sur sa lèvre éclatée et gémit :

— Je l'ai à peine touchée.

— Et elle a manqué lui arracher les yeux, explose Serena.

— J'ai mis en garde tes rejetons à maintes reprises. Vous allez vous brûler les doigts. C'est ce qui se produit lorsqu'on fait la sourde oreille.

— Pour qui se prend-elle ? s'insurge Pilar dans le couloir. Pour le soleil ? On l'a recueillie et proté-gée. Elle n'était qu'une épave à la dérive, je te rap-pelle. Ta traînée est une ingrate et une raclure.

Je suis choqué par les propos orduriers de Pilar.

Je la toise jusqu'à ce qu'elle baisse les yeux et lui dis :

— Mayensi ne se prend pas pour le soleil ; Mayensi *est* le soleil. Qui l'approche de près flambe avant même de l'atteindre.

— Si c'est comme ça, s'emporte Serena, prends-la ailleurs avant qu'elle mette le feu à ma maison.

— C'est ce que je comptais faire depuis le début. Où est-elle ?

— Certainement en train d'incendier la ville entière.

18.

Je cours comme je n'ai jamais couru avant.

Chaque silhouette dans la nuit m'oblige à accélérer.

Je la cherche d'un bout à l'autre de la baie, derrière les taillis, dans les endroits susceptibles de l'abriter. Rien.

Lorsque mes forces sont épuisées, je prends place dans le tram vert et je prie pour qu'elle revienne. Au moindre craquement, je sursaute, espérant que ce soit elle.

Que m'arrive-t-il? Après qui suis-je en train de courir? Après elle ou après moi? Dans ma tête, un seul cri retentit sans cesse : *retrouve-la*. Ne cherche pas à comprendre. Il n'y a rien à comprendre. Lorsque le cœur s'invente une histoire, la raison n'a pas voix au chapitre. Je suis comme fou. Je croyais que ma vie m'appartenait, et voilà qu'une fille dont je ne connais pas grand-chose me la confisque. Comment une illustre inconnue a-t-elle pu m'habiter jusqu'à se substituer à mon âme? Sa

disparition est un gouffre qui n'en finit pas de
m'engloutir. Je me sens apatride sur mon propre
territoire. Ne me reconnaissant plus, je crapahute à
côté d'un étranger. Désemparé. Perdu. Aussi
pauvre qu'une branche en hiver, aussi triste qu'un
clown. Je ne peux que frapper dans mes mains en
signe de désarroi, halluciner à chaque coin de rue
en croyant la voir. Mayensi partie, elle a aspiré
l'air que je respirais et m'a laissé sous vide.

L'aube me découvre couché en chien de fusil
sur la banquette arrière du tram. Du matin à la
tombée de la nuit, je passe au peigne fin Casa
Blanca et ses terrains vagues. En vain.

Plusieurs fois, je tâche de me ressaisir, de comprendre pourquoi je suis en train de me disperser
tous azimuts ; le temps d'un répit, je me remets à
chercher. Je ne veux pas rentrer à la maison de
peur de faire un malheur, car je ne supporterais pas
de me retrouver face à Serena, encore moins à ces
visages blêmes au regard fielleux ou à ces bouches
vénéneuses qui ont proféré les pires grossièretés
sur Mayensi.

J'ai passé une deuxième nuit dans le tram vert
avant de me rendre à l'évidence. Mayensi ne reviendra pas. En tous les cas, pas de sitôt. Le besoin de
parler à quelqu'un me suffoque. Je n'en peux plus
de me raconter mes angoisses, transi sur une banquette aussi dure qu'une pierre tombale, attendant
que le jour se lève sur ma déveine. Si j'étais resté
auprès de ma protégée au lieu d'aller m'amuser

dans ce troquet que je n'ai d'ailleurs pas atteint, ce maudit incident ne se serait pas produit.

Ne sachant à quel diable me vouer, je me tourne vers Panchito – il ne triche pas, lui, ne met pas de gants ; son franc-parler, quand bien même il m'exaspère, sied à mes états d'âme comme un mal nécessaire.

Le vieux trompettiste n'a pas touché à son dîner. Il a couvert d'une toile cirée le caisson qui lui sert de table sous le porche, mis deux assiettes, deux verres, deux cuillères et deux couteaux de part et d'autre d'une gamelle de haricots noirs et m'a attendu.

— Je savais que tu allais rappliquer ventre à terre.

Il se montre aimable et prévenant pour que je passe l'éponge sur sa conduite de l'autre soir. Ç'a toujours été ainsi avec lui. Quand il admet avoir fauté, il s'en excuse à sa manière – soit en m'offrant un repas, soit en me proposant une cuite – pour ne pas avoir à demander « bassement » pardon.

— M'autorises-tu à passer la nuit chez toi ?

— Tu peux même dormir dans mon lit, si ça te chante. (Il fronce les sourcils.) Que signifie cette mine d'enterrement ? Tu t'es fâché avec Serena ?

— Je ne veux plus la voir.

— C'est si grave que ça ?

Une lassitude extrême m'accable, tasse mes vertèbres. Mon ventre évoque un nid de serpents. Mes mains ne savent pas quoi faire du vide qu'elles

étreignent. De toutes mes déconvenues, l'absence
de Mayensi me paraît la plus cruelle. Un violent
besoin de m'apitoyer sur mon sort me prend à la
gorge. À bout, j'éclate en sanglots.

— Elle est partie.

Panchito me soulève le menton du bout des
doigts, intrigué et amusé à la fois par mon émoi.

— Qui?

— La fille que je t'ai présentée.

— C'est pour ça que tu pleures? Non, s'étonne-
t-il en se reculant. Ce n'est pas vrai. Tu as le
béguin pour cette gamine? C'est ça qui te met dans
cet état?

Il se cale dans sa chaise, croise les bras sur
sa poitrine, m'observe de travers, un sourcil plus
bas que l'autre, une expression déplaisante sur la
figure.

— Ne me regarde pas comme ça, je t'en prie.

— Pourquoi? Tu te donnes en spectacle et tu
veux que je ferme les yeux?

— Elle n'a nulle part où aller. Elle a déjà été
agressée.

Sa façon de me dévisager est hurlante de dédain.

— Tu me déçois, Juan. Franchement, là, tu exagères. Regarde-toi, voyons. Tu as l'âge de son
grand-père.

— Je n'ai que mon âge et j'en fais ce que je
veux, hurlé-je. Je suis sain de corps et d'esprit.

— De corps, peut-être. D'esprit, j'en doute.

— Je t'en supplie, Panchito, ne me traite pas
comme si j'étais un débile.

— Je n'irai pas jusque-là. N'empêche, tu dois avoir quelques neurones périmés. Reviens sur terre, bonhomme. Tu es en train de faire les frais d'un stupide retour de jeunesse, et je te trouve pathétique.

J'ai mobilisé Félix pendant une semaine. Nous avons cherché sur les plages, dans les bourgades, dans les ports de pêche, demandé aux marins, aux paysans, aux jeunes désœuvrés qui faisandaient au pied des murs, sans succès.

Je suis au bord de la dépression.

— Elle est peut-être retournée dans son village, suppose Félix pour me signifier que nous étions en train de perdre notre temps.

La septième nuit, en me déposant à l'entrée de Casa Blanca, Félix me déclare qu'il abandonne et m'avertit qu'il est inutile de lui téléphoner car il ne décrochera pas.

— Je suis sincèrement désolé, Juanito. Je ne t'ai jamais rien refusé, mais là, ça me dépasse. Il faut bien que je gagne ma croûte. Ma femme et mes gosses en dépendent.

Il claque la portière et s'en va, me laissant planté au beau milieu de la chaussée.

Panchito me reçoit. Avec condescendance. Il déteste me voir débarquer chez lui comme un clochard qui aurait oublié son âme dans un caniveau.

— Elle n'est nulle part, dis-je, la gorge nouée.

Il émet un hoquet, rabat le rebord de son chapeau sur la moitié de la figure.

— Si je n'ai rien réussi dans ma vie, c'est parce que je suis un bon à rien. Une pauvre illusion, un beau mensonge, voilà ce que je suis. Je cours après mon ombre et n'attrape que du vent.

Panchito repousse son chapeau sur le sommet de son crâne pour me toiser :

— Tu me soûles, Juan, tu me soûles comme c'est pas possible. Je ne suis pas un psy. Je t'accorde l'hospitalité, n'en abuse pas.

— Tu n'as pas de cœur, toi.

— Ben voyons. Orfeo a montré plus de dignité face à la mort que toi devant une amourette sans lendemain.

— C'est parce qu'il ne savait pas ce qu'il était en train de perdre. Moi, je sais ce que je viens de perdre. Dieu m'a envoyé un ange et je n'ai pas été foutu de le garder.

— Dieu t'a envoyé que dalle. Tu n'es ni un prophète ni le pape. Tu as croisé une fille sur ta route, elle a poursuivi son chemin, point à la ligne. Poursuis le tien et arrête de chialer. Tu me donnes envie de vomir. (Il s'agenouille devant moi, me saisit par les poignets ; son étreinte me broie la chair. Paradoxalement, son ton se fait fraternel et conciliant.) Juan del Monte, mon très cher ami, ta déprime m'inquiète. Ressaisis-toi, nom de nom. La gosse est partie, ce n'est pas la fin du monde. C'est peut-être mieux ainsi. Les choses sont ce qu'elles sont. Elles n'offrent aucune garantie. Tu les prends comme elles viennent et tu t'en accommodes.

Autrement, tu te compliques l'existence pour des prunes.

— Tu dis ça parce que tu as renoncé à tout.

— Tu l'as trouvé tout seul, ta dérobade?... J'ai porté du vison, moi, et des montres serties de diamants, et des chevalières à faire pâlir de jalousie le roi Salomon. J'ai trinqué avec les dieux et me suis offert des divas dont les pieds ne touchaient pas terre. Même en fantasmant, tu ne pourrais pas imaginer combien de fois je me suis mouché dans les étoiles. Mais quand c'est fini, c'est fini. Il faut mettre une croix dessus. C'est plus raisonnable. La vie, ce n'est pas que les paillettes, le gros lot et les honneurs. La vie, c'est aussi se casser les dents en gardant le sourire. Alors souris, bon sang! Souris, puisque tu es toujours vivant.

— On ne peut pas discuter avec toi, lui dis-je en me levant furieusement. Tu veux toujours avoir le dernier mot. Eh bien, je te le laisse volontiers... Je vais me coucher.

— C'est ce que tu as de mieux à faire.

Je me jette sur un semblant de matelas dans un coin de la baraque, fixe le plafond à le crever. À qui confier ma peine? Aux morts ou bien aux vivants? Les premiers n'entendent pas, et les seconds n'écoutent pas.

Ma respiration résonne sourdement dans la pièce. Je trépigne de colère. Panchito n'a pas le droit de me traiter de la sorte. Il a beau avoir roulé sa bosse d'un continent à l'autre, il est loin d'avoir tout connu. Ses échecs lui ont ferré le cœur. Rien ne l'effraie, rien ne l'émeut, pas même la mort de son chien. Les éléments se brisent sur lui comme les brindilles sur une cuirasse. Qu'il mange ou qu'il jeûne, c'est le cadet de ses soucis. Écho d'une époque révolue, tout en lui est désistement. Son regard est lointain comme les beaux jours d'autrefois. On lui parle et il grogne ; il n'a pas fini de remuer les lèvres qu'il erre déjà dans un monde parallèle, là où il a laissé la meilleure part de lui-même, avec son palmarès de surdoué et ses nuits réfractaires au sommeil. Panchito, il y a cinquante ans, c'était l'idole absolue, le dévoreur de groupies et de bonnes mères de famille, l'enfant terrible des soirées folles dont le sourire illuminait la rampe plus fort que les projecteurs. Comment a-t-il survécu à sa déchéance ? En l'ignorant, tout simplement... Je ne veux pas lui ressembler. Je tiens à la moindre des choses, m'intéresse au plus infime des détails, me raccroche à n'importe quel instant parce que je suis *vivant* – précisément. Je m'interdis de tourner le dos aux lendemains. Je veux me désaltérer dans la rosée de chaque matin, attendre chaque saison comme le Messie ; je veux aimer jusqu'au ridicule, car il n'est pire tragédie que de n'avoir personne à aimer.

Je passe la nuit à interroger le plafond, à traquer Mayensi dans ma tête, à croire au miracle. Je pense à ces pauvres bougres que j'ai observés sur le bord des rivières en train de s'adonner à la magie en essuyant leurs mains ensanglantées sur l'herbe humide après avoir sacrifié leurs volailles.

Qu'espèrent-ils ? À qui adressent-ils leurs prières ? Est-ce leur foi ou bien leur désespoir qui les rend fous ?

Tout le monde n'a pas le recul suffisant pour se faire une raison et s'abstenir dans le doute, mais chacun d'entre nous en a assez pour prendre son élan et sauter dans le vide. Ce qui importe n'est pas le saut de l'ange ni le réveil du vieux démon, mais de tenter les deux à la fois. J'ai envie de sauter dans le vide. La chute me dégriserait. Si elle me donnait tort, ce n'est pas grave. Il n'y a de grave que le tort que l'on fait. L'amour est la seule épreuve qui mérite ses peines. Son succès est un triomphe sans appel sur l'ensemble des déconvenues ; son échec se vit comme une chance inaccomplie qui continuerait de faire frémir notre âme malgré son infortune. J'ai besoin d'aimer, et qu'importent les pièges qui vont avec.

Le matin, aux aurores, moi qui n'accordais aucun crédit à ces histoires de sorcellerie, je me précipite dans la basse-cour de Panchito, attrape un poulet et file l'égorger à l'endroit précis où j'avais entendu Mayensi chanter en lavant sa robe dans les eaux de la baie.

Je n'avais jamais tué de bête, auparavant.

J'ai honte du mal que j'inflige à la pauvre volaille, maudis le couteau qui se substitue à mon poing, le sang qui m'éclabousse, l'horreur qui me saisit à la gorge, pourtant, aussi ignoble que cela puisse paraître, si c'était à refaire, je le ferais encore et encore jusqu'à ce qu'il n'y ait plus un seul oiseau debout sur terre.

Tandis que le poulet n'en finit pas de se débattre de douleur et d'effroi, je me mets à genoux et lève les mains au ciel. Il m'importe peu de destiner l'offrande à un dieu ou à un ancêtre, tout ce que je veux, c'est que ma Mayensi me revienne.

Et Mayensi me revient.

À la tombée de la nuit.

Elle est là, bien là, assise sur le marchepied du tram vert, sous le lampadaire qui l'éclaire comme un signe du ciel.

Serena a juré sur la Bible que cette fille n'était pas normale. Elle n'a pas exagéré, Serena. Mayensi n'est pas normale ; elle est parfaite. Elle ne ressemble à aucune autre fille ; elle est unique. Elle est la plus authentique des vérités, puisque je l'aime.

Si Panchito, de son côté – lui qui n'a pas pleuré la mort de son chien et qui a renoncé aux joies de ce monde –, atteste que notre couple n'est pas crédible, que Mayensi n'est pas faite pour moi, qu'elle appartient à une génération qui ne reconnaît pas la mienne ; si les voisins me trouvent daltonien au point de ne pas remarquer la ligne rouge qui délimite mon égarement ; si les mauvaises langues prétendent que je suis en train de foncer tête baissée droit dans mon malheur, eh bien, que le malheur soit car aucune peine, aucune épreuve, aucun sortilège ne me ferait souffrir maintenant que Mayensi est revenue pour moi. Je me moque de la liesse qui ne fête pas son retour, du triomphe qui ne la célèbre pas – et que je sois banni si son regard se pose ailleurs que sur moi, que je sois damné si ce n'est pas par elle que j'accède au paradis.

19.

Je ne me souviens pas d'avoir vu la mer aussi belle. Le large miroite sous le soleil couchant, étincelant de millions de feux follets tandis que le ciel se prépare à lancer par-dessus nos têtes sa poudre de fée. Les vaguelettes se prosternent doucement sur la plage haletante de leurs soupirs. Une barque de pêcheur regagne son port d'attache, presque irréelle dans les reflets rasants du crépuscule. Mayensi est assise sous le cocotier, les bras autour des jambes, les genoux contre la poitrine. Elle écoute la rumeur des flots, perdue dans ses pensées. On dirait un cadeau que la providence a mis là, sous mes yeux, pour que je mesure l'étendue de mon privilège.

À travers la fenêtre, je la contemple comme si elle était l'unique repère qui comptait.

C'est Alonso Fuentes qui nous a déniché le refuge que Mayensi et moi occupons depuis trois jours. Alonso nous avait proposé un magnifique studio dans la vieille ville, non loin du Capitole, et un deux-pièces du côté du Vedado, où il fallait jouer des coudes pour se frayer un passage dans la promiscuité; Mayensi voulait un coin tranquille, loin des gens et des bruits, le plus près possible de la mer; il lui importait peu que ce soit une villa ou un trou à rat pourvu qu'elle se lève le matin dans le piaillement des mouettes et s'endorme le soir bercée par le clapotis des vagues.

Alonso nous a conduits dans sa voiture sur un bout de plage dévoré par les herbes sauvages, à l'extrémité ouest de La Havane, entre Marina Hemingway et Santa Fe. La maisonnette occupe la pointe d'un appendice rocailleux, derrière une rangée de broussailles. Mayensi a immédiatement tranché : c'est exactement ce qu'elle espérait. L'habitation laisse à désirer, avec ses murs rongés par le sel de la mer et ses volets en bois écaillés, mais elle a l'avantage de ne pas être aperçue de la route et de tenir à distance le voisinage. Elle appartient à un cousin d'Alonso, parti, avec femme et enfants, au Venezuela exercer ses fonctions de médecin dans le cadre de la coopération qui lie nos deux pays. Alonso la loue à la semaine, exclusivement aux touristes, et se fait payer en *CUC*; pour moi, il a fait une exception à condition que je m'acquitte du loyer sans une minute de retard et sois prêt à évacuer en catastrophe les lieux au cas où quelqu'un signalerait à la police notre présence suspecte dans les parages.

L'intérieur comporte une grande chambre, une minuscule pièce que deux lits pour enfants encombrent, un salon flanqué d'un canapé râpé, d'une table basse et de deux chaises, un semblant de cuisine doté d'un réfrigérateur asthmatique et un WC avec une bouche d'aération colmatée de fientes. Mais on a vue sur la mer, et cela a suffi à Mayensi.

Le premier soir, nous avons dîné dans la cuisine, à la lumière des bougies à cause d'une coupure de courant. Je tremblais comme un fiévreux. C'était la première fois que je me trouvais seul dans une maison avec elle. Je n'arrêtais pas de renverser des choses autour de moi. Il faut reconnaître que l'attitude de Mayensi m'indisposait. Distante, constamment sur la défensive, les œillades qu'elle me décochait se voulaient aussi péremptoires que les sommations.

Alonso rentré chez lui, elle était allée prendre place sur un caillou et, les pieds dans l'eau, elle avait contemplé le large des heures durant. J'avais jugé prudent de ne pas la déranger. Mayensi ne m'était revenue que depuis la veille et elle n'avait pas encore proféré un traître mot.

Ce premier soir donc, tandis que nous dînions à la lumière des bougies, elle a repoussé son assiette et a commencé à se triturer les doigts. Sa gêne m'a paru plus embarrassante que sa méfiance.

— Désolée de t'avoir causé des problèmes avec ta famille, a-t-elle fini par lâcher.

— Bah ! Les problèmes sont le sport favori des familles. Lorsqu'il n'y en a pas, elles les inventent.

— Je lui avais dit d'arrêter de me harceler.

— À García?

— Oui. Il m'embêtait chaque fois que je m'isolais... (Elle est allée au tréfonds de ses tripes puiser son souffle pour ajouter :) Il m'a embrassée à deux reprises sur la bouche, la semaine d'avant l'incident.

— Tu aurais dû me le signaler. Je lui aurais arraché les oreilles.

Elle a plongé sa cuillère dans son verre et s'est mise à touiller dans le vide.

— Je ne sais pas comment j'ai réussi à me retenir. J'ai pensé à Serena qui a été si bonne avec moi, à Javier qui m'a adoptée, à Pilar qui était aux petits soins pour moi, et à toi... Je n'ai pas eu une vie heureuse. Je croyais que ça n'existait que dans les poèmes d'amour. J'ai été bien, dans ta famille. Je commençais à voir le bout du tunnel, tu comprends?

— Bien sûr.

— Je ne voulais pas faire du mal à García. Quand il m'a embrassée contre mon gré, j'ai pleuré. Toute la nuit. La fois suivante, il est revenu m'importuner, et il a mis sa langue dans ma bouche. J'ai vomi, ce soir-là, comme si j'avais avalé un fruit avarié. Le matin, je l'ai supplié. Je l'ai supplié de ne plus m'approcher.

— C'est une tête de mule.

Subitement, son visage s'est embrasé; des spasmes se sont déclenchés dans ses joues, ses lèvres se sont retroussées d'une colère abominable; elle touillait de plus en plus vite dans le vide.

— Quand tu m'as raccompagnée, la nuit où ton ami musicien m'a manqué de respect, García m'a rejointe dans les cabinets. Il voyait bien que j'avais de la peine, mais il s'en fichait. Il m'a plaquée contre le mur. Je l'ai repoussé en le suppliant à voix basse. Je ne tenais pas à ce qu'on nous entende. Serena n'aurait pas apprécié la conduite de son fils. Je voulais éviter les problèmes, tu comprends? Mais García était incontrôlable. Il a glissé sa main sous ma robe. Et ça, je ne l'ai pas supporté. Je ne me rappelle pas ce qu'il s'est passé après.

— Tu l'as copieusement remis à sa place.

— Je ne voulais pas en arriver là. C'était plus fort que moi.

— Tu n'as rien à te reprocher. Tu as réagi exactement comme il fallait.

Ses tremblements ont cessé d'un coup.

J'ai mesuré combien elle souffrait, l'étendue du traumatisme qu'elle avait subi.

— Je ne veux pas qu'on touche à mon corps, s'est-elle écriée en froissant de son autre main un torchon. Mon corps m'appartient. Ce n'est pas un objet de convoitise que l'on s'offre et que l'on jette à la poubelle après l'avoir abîmé. J'ai le droit de n'appartenir qu'à moi, non?

— Absolument.

— Les hommes ne pensent qu'à ça. Ils me dégoûtent. Ils n'ont de considération pour rien. Ils croient qu'ils peuvent se permettre tout ce qui leur passe par la tête.

— Pas tous, Mayensi, pas tous...

Elle a arrêté de touiller. De nouveau, son regard s'est assombri.

— Je ne suis pas une putain.

Son cri a claqué comme une détonation, m'ébranlant de la tête aux pieds.

— Il ne viendrait à l'idée de personne de te traiter de la sorte. N'importe quel macho baiserait tes pieds.

— Je ne veux pas qu'on baise mes pieds. Je veux passer mon chemin sans que l'on me persécute, m'isoler quelque part sans être embêtée, et quand je ne suis pas intéressée, je ne veux pas qu'on me harcèle ou qu'on m'insulte, ou qu'on lève la main sur moi.

— C'est ton droit.

— Ce droit, rien ne les empêche de le piétiner. Les hommes ne sont que des brutes. Des obsédés. Des prédateurs.

— Ce n'est pas vrai.

— Si, c'est vrai. Un homme ne voit pas qu'il dépasse les bornes quand il importune une femme.

— Tu exagères, Mayensi. Tu es seulement une belle femme. Une très, très belle femme. C'est normal que certains garçons soient attirés par toi. Je ne les approuve pas, je condamne leur hardiesse déplacée, mais...

— Mais quoi ? s'est-elle insurgée.

Je me suis aperçu que j'étais en train de m'aventurer sur un terrain glissant.

— Ce n'est pas ce que je voulais dire.

— Alors, ne dis rien.

Après un silence anesthésiant, elle a changé de ton, si brutalement qu'elle m'a désarçonné.

— Tu es différent des autres. C'est la première fois que je suis seule avec un homme sans chercher à fuir au bout du monde.

— ...

— J'ai besoin de croire qu'il existe des hommes bien, tu comprends ? C'est très important pour moi.

— Tu n'as rien à craindre de moi, Mayensi. Je te le promets.

— Les promesses ont l'excuse de rassurer, mais ce ne sont que des promesses. On n'est pas obligé de les tenir... Il faut que l'on se mette d'accord une fois pour toutes. Si tu veux que je reste, ne me brusque pas, n'insiste pas et surtout, surtout n'essaye pas de me prendre dans tes bras, pas même pour me réconforter. Je m'en voudrais de te faire du mal.

Pour lui prouver que mes intentions étaient dépourvues d'ambiguïté, je l'ai invitée à occuper la chambre et à la fermer de l'intérieur ; elle a choisi de dormir sur le canapé.

Je la contemple à travers la fenêtre. Non sans tristesse. Elle est si fragile et si vulnérable. Une femme en porcelaine. Je pense à l'agresseur qui l'a dénaturée et moi qui ne suis pas violent, qui ai toujours été affable et prévenant, je m'imagine en

train de faire subir à ce salopard le double du mal
dont il s'est rendu coupable.

Elle se retourne d'instinct et me surprend en
train de l'observer. Je lui adresse un petit signe de
la main et la rejoins avec un sandwich que j'ai préparé pour elle.

— Tu ne te baignes pas, aujourd'hui ?

— L'eau n'est pas suffisamment froide, dit-elle.

— L'endroit te plaît ?

— Oui.

Et c'est tout.

Nous passons plus de temps à nous taire qu'à
échanger des banalités.

Mayensi est une fille de silence. Elle est dans
son élément lorsqu'elle s'isole face à la mer.
Parfois, il me semble que je la dérange. Mais comment la quitter d'une semelle ? Elle est le monde
qui me convient et m'inspire.

— Il va pleuvoir.

— Le ciel est limpide, me signale-t-elle.

— C'est un trompe-œil. Le vent se lève. Avant
la tombée de la nuit, il va ramener son armada de
nuages gorgés de bourrasques.

— J'aime bien la pluie, dit-elle en lâchant sa
crinière de feu dans le dos. Quand j'étais enfant, je
sortais dans la cour et je ne rentrais que trempée
jusqu'aux os. Ça me calmait.

— Je déteste la pluie. Elle a souvent gâché mes
concerts en plein air.

Elle ramasse un caillou, le soupèse dans le creux
de sa main avant de le balancer dans l'eau.

— À propos, reprends-je, mardi, je chante dans un mariage. Ça me ferait plaisir si tu m'y accompagnais.

— Je ne suis pas prête.

— Je t'en prie.

— Les gens m'indisposent.

— Je serai là, moi.

Elle entreprend de dégarnir le rocher de sa mousse. Ses gestes sont nerveux.

— S'il te plaît, viens avec moi. Je vais mettre le feu dans la salle.

— D'accord, cède-t-elle brusquement... J'aurai besoin d'une perruque noire et d'une paire de lunettes.

— Pour quoi faire ?

— Je ne tiens pas à être reconnue.

— C'est un mariage. Il y aura plein de monde. Pas un policier ne viendra te demander si tu as une autorisation ou pas.

Elle se remet à contempler le large.

J'appelle Alonso pour lui commander une perruque noire et des lunettes de soleil.

Mayensi a aimé la fête. Elle m'a trouvé « fabuleux ». Certes, elle n'a pas dansé, elle s'est tapie dans son coin et a regardé les convives s'amuser ; ça l'a beaucoup détendue. Nous sommes rentrés aux aurores, la tête crépitant de décibels, et nous avons dormi sur le canapé, presque côte à côte, jusque tard dans l'après-midi.

Le soir, je l'ai invitée dans un *paladar*, un genre de brasserie en vogue à La Havane depuis que l'État autorise certains locataires à transformer leur habitation en restaurant. Mayensi a remis sa perruque noire – qui lui va à ravir bien que je la préfère rousse et radieuse comme une flamme –, ses lunettes de soleil qui lui masquent la moitié du visage, et, la silhouette enserrée dans une robe de chez Alonso, elle a fait tourner la tête aux hommes que nous avons croisés en chemin.

Mayensi ne me donne pas encore le bras, mais je suis fier de marcher à ses côtés.

Un soir, de retour d'un concert, je lui ai ouvert mon cœur.

Elle s'apprêtait à regagner la chambre quand je lui ai pris le poignet. Avec la précaution d'un artificier tentant de désamorcer une bombe sophistiquée. Elle a eu juste un frisson, sans retirer sa main.

— Je peux te parler deux secondes ?

— De quoi ?

Je l'ai priée de s'asseoir.

— Mayensi, tu as changé mon existence.

Je n'ai pas reconnu ma voix qu'un trémolo faussait.

— Je croyais que la musique était la vie. Aussi m'y suis-je investi corps et âme. J'ai négligé mes amis, ne me suis pas occupé de ma femme, et n'ai pas vu grandir mes enfants. Je me disais qu'ils me pardonneraient un jour, puisque je militais pour la meilleure des causes : la chanson.

Je me suis agenouillé devant elle, lui ai pris l'autre main.

— Je n'ai pas l'air d'être une bonne affaire, pourtant je suis un bon investissement. C'est vrai, il y a l'âge qui coince entre nous deux, mais ce n'est pas un critère probant. La jeunesse ne garantit pas grand-chose. Combien de jeunes couples ont vu leur idylle percutée de plein fouet par la maladie, un accident de la circulation, un simple malentendu. Personne n'est sûr du temps qui lui reste à vivre. Ce qui importe est l'instant présent.

— Tu me fais mal.

Sa main s'est engourdie dans la mienne.

— Excuse-moi.

— Tu me fais encore plus mal.

J'ai desserré mon étreinte sans lâcher prise. Mon cœur s'affolait; mon sang résonnait dans mes tempes à coups de massue. J'ai dégluti à maintes reprises avant de lui déclarer :

— Depuis que je t'ai rencontrée, j'ai découvert qu'il existe en moi un organe plus précieux que ma voix... que je suis plus heureux avec toi qu'au milieu d'un stade grouillant de fans... Mayensi... Tu m'as fait renaître à la plus belle des percussions : les battements de mon cœur. Je serais prêt à renier la musique si tu me le demandais.

— Je ne te le demanderai pas.

— Je ferais n'importe quoi pour toi.

— Nul ne mérite que l'on fasse n'importe quoi pour lui.

Elle a dégagé ses mains, cran par cran, sans me quitter des yeux. J'ai attendu sa réaction avec l'appréhension d'un accusé guettant la sentence de la cour.

Au bout d'un silence qui a failli m'achever, elle a dit :

— Je ne vaux aucun sacrifice.

— Ce n'est pas une question de sacrifice... Je t'aime. Je veux vivre avec toi, auprès de toi, pour toi.

Elle n'a pas bronché. Elle devait s'y attendre un peu. Seul un imperceptible frémissement lui a agité la pommette.

— Ne précipitons pas les choses.

— Mon âge ne m'autorise pas à prendre mon temps, Mayensi.

— Moi, j'ai besoin de temps.

20.

Mayensi est ma lumière.

Il n'est pas nécessaire d'allumer dans la maison; elle éclaire toute chose autour de moi.

Je ne me lasse pas de m'enivrer de son odeur, de me draper avec son ombre, de traquer sa silhouette. Lorsqu'elle court se jeter à la mer, c'est une formidable invitation aux plaisirs de ce monde. La chute de ses hanches, l'offrande de sa poitrine, le vallonnement de ses fesses, le galbe parfait de ses jambes font d'elle une terre promise où je voudrais briller de mille feux avant de m'éteindre à jamais.

J'adore m'asseoir sur le sable et la contempler tandis qu'elle se dore au soleil. Combien de fois me suis-je imaginé tendant la main vers elle pour m'assurer qu'elle est bien faite de chair et de sang. Le désir n'a de cesse de sourdre en moi; la nuit, pendant qu'elle dort à proximité de mes fantasmes, je me surprends m'adonnant à des exercices solitaires que je ne pratiquais même pas du temps où j'étais un adolescent épris de son institutrice. Il m'arrive de pousser l'inélégance jusqu'à l'épier par le trou de la serrure quand elle prend son bain ou lorsqu'elle se déshabille dans la chambre.

Je lui ai demandé pourquoi elle m'avait embrassé sur la nuque, l'autre soir, chez Serena. Elle m'a répondu : «Je ne me rappelle pas.» Avais-je rêvé? Je ne le pense pas. L'empreinte de son baiser me brûle encore.

Cela fait presque deux semaines que nous cohabitons dans la maison sur la petite plage sauvage. Tard dans la nuit, à l'heure où la mer et l'obscurité fusionnent, je fais exprès de m'asseoir sur le pas de la porte et j'attends que Mayensi se glisse derrière mon dos pour poser ses lèvres sur mon cou... Mayensi préfère se calfeutrer dans la chambre, un livre ouvert sous le nez. Elle passe ses soirées à lire les quelques bouquins qui traînent çà et là dans les tiroirs, alors que je m'éternise sur le pas de la porte à écouter les flots jubiler en cossant les rochers du rivage.

Un lundi, je reçois un appel d'Orimi Anchia.

— Miguel Sonata serait ravi si tu acceptais de faire l'ouverture de la soirée qu'il animera dimanche prochain à l'hôtel Nacional.

Je me rhabille plus vite qu'un marin à l'heure du branle-bas. Mayensi enfile une robe blanche simple que je lui avais achetée dans une boutique étatique, sa perruque noire et ses lunettes, et nous sautons dans un taxi pour nous rendre à l'hôtel.

Le hall grouille de monde. Il y a une chaîne devant le comptoir de la réception et les ascenseurs, les bagagistes se démènent avec leurs fardeaux. Pour mon plus grand bonheur, des touristes me reconnaissent et s'empressent de se prendre en photo avec moi. Je me prête volontiers à leur enthousiasme, un œil sur l'objectif, l'autre sur Mayensi pour voir si elle est fière de moi.

— Attends-moi au bar, lui dis-je. Je monte discuter avec le directeur à propos du programme et je reviens.

Je ne suis pas resté plus de dix minutes dans le bureau du directeur. À mon retour, mon cœur manque de flancher. Mayensi n'est pas au bar ni sur la terrasse. Pris de panique, je me mets à la chercher dans le hall, les corridors, les officines, interpellant personnel et clients. À chaque réponse négative, ma tension monte d'un cran. Je ne me rends pas compte des gens que je bouscule, des protestations que je soulève en fendant la cohue.

Puis je la vois debout derrière un petit attroupement, dans un salon convivial où, trônant sur une chaise haute, un septuagénaire tient en haleine son auditoire composé d'une vingtaine d'étudiants encadrés par deux ou trois professeurs. Il s'agit de Manuel B. Harvas, une espèce de Pablo Neruda en éruption permanente, un peu prophète, un peu gourou, que les Cubains des franges défavorisées vénèrent. Grand défenseur des libertés, chantre des causes justes, pensionnaire intermittent des geôles et des résidences surveillées, Manuel B. Harvas donne du fil à retordre aux démagogues. Ses conférences réunissent en moyenne deux à trois mille personnes aussi bien sur l'île qu'ailleurs dans les Caraïbes. On raconte que ses inconditionnels mettent ses dédicaces sous verre, les encadrent de dorure, avant de les exposer dans le salon entre deux cierges comme des reliques sacrées.

Mayensi est hypnotisée par le personnage. Elle a ôté ses lunettes. C'est la première fois qu'elle ose mettre à découvert son visage en public. Hissée sur la pointe des pieds, elle vacille derrière l'attroupement pour ne pas rater un mot du poète, si captivée qu'elle ne m'entend pas l'appeler.

Je donnerais ma vie pour obtenir d'elle ce regard qu'elle accorde au vieillard que les étudiants mitraillent de questions et de flashes.

— ... Lorsque je lève les yeux au ciel, déclare le poète, et que je vois tous ces astres, je me dis qu'il y a certainement un chef d'orchestre derrière. Mais nulle part je ne le vois. C'est ennuyeux. Alors, je me suis autoproclamé Dieu tout-puissant. J'ai fait des étoiles mes lumières, des vents ma musique et des océans mes sources d'inspiration. C'est ainsi que je suis devenu poète. Mon cœur est amoureux de toutes les femmes, mon esprit veille à trouver de la beauté en toute chose. Les fleurs s'épanouissent pour moi et se fanent dès que je regarde ailleurs.

Mayensi esquive avec hargne la main que je pose sur son épaule. Elle paraît même outrée que je la dérange en pleine lévitation.

— Avez-vous pardonné à Roberta May, elle qui prétendait être votre plus fidèle amie ? s'enquiert une institutrice.

Le poète demeure quelques secondes songeur, comme si la question l'éjectait hors de son sujet. Il lisse sa longue chevelure de chaman qu'une raie bien droite départage, fixe l'institutrice tandis que l'auditoire retient son souffle en se demandant si le poète est contrarié et s'il n'envisage pas de rompre le charme de la rencontre et de s'en aller. Manuel B. Harvas n'est que de passage à l'hôtel. C'est par gentillesse qu'il a accepté de s'entretenir avec les étudiants.

Mayensi est soulagée quand le poète esquisse un maigre sourire.

— Le temps des amis désintéressés est révolu, répond-il. Avant, ils servaient à quelque chose, aujourd'hui ils se servent et ne laissent rien aux absents. C'est ainsi, et on n'y peut pas grand-chose.

Il réfléchit en mordillant son doigt, revient sur l'institutrice.

— Pardonner, c'est rendre à nos ennemis le mal qu'ils nous font et se fiche de ce qu'ils vont faire avec.

Pour détendre l'atmosphère, un grand échalas agite calepin et crayon et s'écrie :

— Pourquoi nos musiciens n'adaptent-ils pas vos poèmes, maître ?

— Je suis poète, non parolier. La musique convoque le corps, la poésie interpelle l'âme.

— Pourtant certains poèmes ont été mis en musique avec succès.

— Ça arrive, mais ça ne me convient pas. On n'est pas sur le même registre.

— La musique serait-elle réductrice ? lui lancé-je d'un ton agressif, jaloux de constater qu'il s'est accaparé l'entière attention de Mayensi.

— Pas du tout. Il s'agit d'une même thérapie sauf que le protocole que propose la poésie est différent de celui de la musique. Le poète nous inspire, le chanteur nous respire. Le poète nous éclaire, le musicien nous enflamme. C'est dans cette nuance que réside la singularité de celui qui dit et de celui qui chante. C'est une question d'ouïe, plus précisément du réglage de l'ouïe, du dosage de la concentration. On ne prête pas la même attention à un récital de poésie qu'à un concert de musique. On n'est pas là pour la même raison, même si dans les deux cas de figure, le but est le même : rechercher l'évasion. Le rapport à la poésie est plus intime. On est dans la quête tranquille de soi. Avec la musique, on adhère aux autres, on est dans l'élan et non dans la retenue, dans le don de soi et non dans sa quête. Les gens ne vont pas au concert chercher des vérités mais pour rompre avec elles. Ils réclament des paroles qui donnent envie de jeter au diable la réserve, de se soûler jusqu'à prendre une mouche pour un oiseau paradisiaque, de se foutre à poil en criant haut et fort : au diable les carrières et les révolutions. Avec la poésie, on réintègre son élément, on s'interroge sur le sens de la vie, on est rendu à la réalité du monde, on tente d'élucider certains mystères de cette même réalité, de percer la complexité des êtres et des choses...

Il s'interrompt d'un coup. Son regard vient de se poser sur Mayensi. Et Mayensi en frémit. Pendant quelques instants, le poète paraît absent, les yeux toujours fixés sur ma compagne, puis il redescend sur terre.

— Vous vous appelez comment, ô merveille des merveilles?

— Mayensi, lui lancé-je pour qu'il comprenne que la belle n'est pas libre.

Le poète ne me prête pas attention. Il se fraie un passage dans son groupe d'admirateurs et vient examiner de près ma compagne. Après l'avoir considérée avec tendresse, il lui prend le visage dans le creux de ses mains et lui pose un baiser sur le front. Je m'attends à voir Mayensi le repousser, ou reculer, ou s'enfuir... Rien de tout ça n'a lieu. Mayensi se laisse faire avec une confiance, une gratitude telle que j'ai du mal à la reconnaître. Elle s'abandonne entièrement au poète, ferme les paupières comme si le baiser sur son front résorbait l'ensemble des traumatismes greffés à son subconscient.

— Je ne résiste pas devant la beauté naturelle, lui déclare le poète. C'est si rare, de nos jours. Considérez mon baiser comme la bénédiction d'un vieillard qui ne cède pas aux coups bas de l'âge. Vous êtes si belle que j'ai envie de rajeunir sur-le-champ.

Mayensi boit ses paroles comme se désaltérerait un naufragé du désert dans un cours d'eau providentiel.

— Je décèle de la tristesse dans votre regard, poursuit le poète sans lâcher le visage de ma compagne. Vous n'avez pas le droit d'être triste. Vous êtes sur terre pour rendre heureux le plus infortuné des hommes.

Émue aux larmes, Mayensi ne parvient pas à articuler un mot.

Le poète se tourne vers son auditoire.

— Soyez tous bénis. Il faut que j'aille me reposer, maintenant. Sachez juste ceci : le malheur vient de la grossière erreur de voir le monde tel qu'on voudrait qu'il soit et non pas tel qu'il est. Prenez les choses comme elles viennent et tâchez de les apprivoiser car la seule vérité qui importe, c'est vous. Le bonheur, on ne le croise pas forcément par hasard sur son chemin, on peut aussi le fabriquer de ses mains. (Il se tourne à nouveau vers Mayensi :) Il y a toujours quelqu'un qui vous aime quelque part. Si vous ne le voyez pas, lui vous voit. Ne cherchez pas ailleurs ce qui est à la portée de vos mains.

Sur ce, il salue tout le monde et prend congé de son auditoire, deux messieurs en costume derrière lui.

Mayensi est la dernière à s'apercevoir que le poète a regagné ses quartiers et que nous sommes, elle et moi, les seuls à hanter encore le salon livré à sa pénombre.

— Tu lui as fait une forte impression, dis-je à Mayensi quand le taxi nous dépose sur le sentier qui mène à la maison.

— J'en suis tout étourdie.

— Tu le connais ?

— J'ai appris ses poèmes par cœur.

Ses yeux brillent d'un éclat cristallin.

— J'ignorais que tu aimais la poésie.

— J'aime *sa* poésie. La poésie de Manuel B. Harvas. Ses recueils, je les gardais sous mon oreiller, près de mes rêves.

— Je ne suis pas tellement porté sur la lecture, lui avoué-je, mais je vais m'y mettre.

Je n'aurais pas dû. Son regard m'a presque réduit en poussière.

— Je connais sur le bout des doigts les chansons de l'ensemble de nos...

— Ce n'est pas la même chose, me coupe-t-elle. Manuel B. Harvas est une légende. Je croyais qu'il n'existait que dans mon imagination. Maintenant qu'il a posé ses mains sur mon visage, je me sens renaître pour de vrai.

Elle s'arrête pour me faire face. Son visage flamboie de reconnaissance.

— Tu ne peux pas savoir le cadeau que tu viens de m'offrir, aujourd'hui. Mille mercis ne suffiraient pas à te prouver combien tu m'as rendue heureuse.

— Si tu es heureuse, je le suis doublement.

Elle se hisse sur la pointe des pieds et m'embrasse sur la joue.

Le reste de la journée, elle a nagé, sirène victorieuse acclamée par les flots. Ensuite, elle s'est retirée sous un cocotier jusqu'au coucher du soleil. De temps à autre, elle se tourne vers moi et me fixe avec acuité. Intrigué par ses silences et son opiniâtreté à se tenir à l'écart, je lui adresse un signe de la main pour m'assurer qu'elle est consciente ; elle ne le remarque pas, occupée à me considérer avec une insistance dérangeante. Je tente de deviner ce qui lui trotte dans la tête, sans succès. Je sais qu'elle est en train de se poser un tas de questions, et que ces questions me concernent en partie – à en juger par sa façon de me considérer – mais je n'ai pas le courage de la rejoindre.

Le soir, après le dîner, elle s'est approchée de moi en tremblant de la tête aux pieds. Son regard est sans équivoque. J'ai appris à le décoder, ce regard-là, faussement alangui, en gestation et lancinant à la fois, sismographe trahissant les pulsations les plus profondes, les signes avant-coureurs d'un cataclysme émotionnel, l'appel formidable de la chair qui réclame l'exaltation en bravant les périls qui la guettent.

J'attends ce moment depuis des semaines. Maintenant qu'il est là, il m'effraie. Je n'ai pas l'habitude de voir Mayensi dans un état pareil, elle qui veille jalousement à garder ses distances, rétive, effarouchée, inexpugnable dans sa carapace blindée. Son audace me désarçonne. J'ai peur de ne pas savoir la gérer, qu'elle me dépasse et me disqualifie pour toujours.

— Si tu ne te sens pas prête, tu n'es pas obligée, lui assuré-je d'une voix flageolante.

Elle n'est pas prête, c'est clair ; la preuve, sa robe tressaute sur ses épaules et ses traits sont tendus comme la corde d'un arc. Mais elle tente le tout pour le tout, fatiguée d'attendre ce qu'il lui faut aller chercher. Je la sens combattre sans réserve ses doutes, ses affres, les contraintes de sa pudeur. Elle veut en avoir le cœur net. Elle n'en peut plus de se barricader dans son effroi. La bénédiction du poète lui insuffle un courage qu'elle ne soupçonnait guère. Elle *veut renaître pour de vrai.*

Elle me prend d'abord la main qu'elle immobilise derrière mon dos, inspire comme si elle s'apprêtait à plonger en apnée au plus profond de ses traumatismes pour les désamorcer, ferme les yeux et pose avec une précaution infinie ses lèvres sur les miennes. Sa bouche n'est que frémissements. Son souffle est une agonie. Quelque chose est en train de mourir en elle et de libérer ce qu'elle retenait en captivité. Ce n'est pas sa chair que je perçois, mais les horreurs qui l'habitent et qu'elle ne demande qu'à évacuer. Mon bras libre s'enroule autour d'elle ; elle recule pour s'en défaire, les paupières closes, la bouche offerte.

— S'il te plaît, laisse-moi y arriver seule.

Nos bouches ne font qu'une. Nos corps sont serrés l'un contre l'autre pour faire front contre ce qui nous tenait si proches et pourtant aux antipodes de nos désirs. Je ne fais qu'obéir. Mayensi négocie le moindre tressaillement. Elle contrôle tout. Assume tout. C'est elle qui me conduit dans la chambre, qui me déshabille comme un enfant. Les yeux obstinément fermés. Les narines palpitantes. Le souffle débridé. Elle avance sur mon corps comme on progresse sur un territoire annexé. Je suis à elle, conquis et consentant, prêt à signer des deux mains l'armistice même si j'avais renoncé, depuis cette fameuse nuit sur la berge de la baie, à mes faits d'armes et à mon charisme pour n'être que le plus dévoué de ses sujets.

Chaque fois que je tente de lui rendre les bienfaits qu'elle me prodigue, elle me fait non de la tête.

— S'il te plaît, c'est important pour moi d'aller jusqu'au bout sans l'aide de personne.

21.

Ce fut une nuit incroyable.

Les nuits qui suivirent dépassent l'entendement. On aurait dit que Mayensi cherchait à expurger une à une les toxines qui viciaient son âme pour réapprendre à croire en elle et à rire aux éclats comme lorsque mes neveux l'amusaient avec leurs histoires intenables de cocasserie.

Une seule fois, une fausse note a brouillé notre idylle : alors que Mayensi sortait des vagues, joyau exhibé au soleil, je l'ai photographiée. Elle l'a très mal pris. Elle est devenue incontrôlable et a manqué de jeter à la mer mon portable. Elle ne s'est calmée que lorsque j'ai feint d'effacer la photo en tripotant mon téléphone. «Ne me refais jamais ça, m'a-t-elle menacé, le doigt braqué sur moi. Je déteste que l'on me prenne en photo. »

Une heure plus tard, nous étions de nouveau dans les bras l'un de l'autre et nous avions fait l'amour jusqu'à l'épuisement.

Mayensi *est à moi*.

Je suis si heureux que rien sur terre ne me paraît suspect.

Si ma joie dépasse les bornes, je considère qu'elle n'en fait pas assez car j'ose croire que les lendemains nous réservent, à Mayensi et moi, bien d'autres petits bonheurs, qu'ils nous promettent des horizons où les chants et les silences seront bénis de la même façon, où rien de fâcheux ne nous arrivera.

Pour la soirée à l'hôtel Nacional, je l'ai emmenée en ville, dans la boutique d'Alonso. Je lui ai acheté de nouvelles chaussures et une robe de marque que j'ai payées en *CUC* sans marchander.

J'ai téléphoné à mon cousin Félix pour qu'il m'apporte mes costumes de scène laissés chez Serena. Je lui ai fixé rendez-vous au Tropicana car je ne tenais pas à ce qu'il sache où je réside ni avec qui. En l'attendant, j'ai offert un repas à Mayensi dans un restaurant sur la place. Nous avons dégusté de la langouste enrobée de mets délicats qui fondent dans la bouche et un dessert à la crème dont la saveur a parfumé nos palais. Là encore, j'ai payé en *CUC*.

Félix a mis deux heures avant de se manifester. Il a rangé sa guimbarde au coin de la rue, les feux de détresse allumés pour simuler une panne.

J'ai prié Mayensi de m'attendre au restaurant pour que mon cousin ne la voie pas.

— Où t'étais passé, bon sang? s'écrie Félix. On t'a cherché partout.

— Pourquoi ne pas me mettre un collier, pendant qu'on y est?

— Serena se fait un sang d'encre pour toi. Elle a éclaté en sanglots quand je lui ai dit que c'était toi qui m'envoyais récupérer tes affaires.

— Ça lui passera.

— C'est ta sœur aînée, je te signale.

— Elle devrait plutôt s'occuper de ses galopins.

Félix descend ouvrir le coffre de sa voiture. Je manque tomber raide en découvrant mes costumes jetés pêle-mêle au milieu de pièces de rechange usées, de bidons et de divers outillages.

— Tu aurais pu les mettre sur la banquette arrière.

— J'avais des passagers à bord.

— Ça coûte la peau des fesses, ces tenues.

— J'ai fait attention, je t'assure. Tu peux vérifier. Il n'y a pas la moindre trace de cambouis dessus. Regarde, j'ai étalé de la toile cirée pour les protéger.

Je plie soigneusement mes vestes, mes pantalons et mes chemises en soie, les glisse dans un sac en plastique.

— Tu rentres quand?

— Pas ce soir, en tout cas.

— Je dis quoi à Serena?

— Dis-lui que je suis heureux.

J'attends que Félix remonte dans son taxi et disparaisse de ma vue avant de retourner dans le restaurant. Mon sang se glace : Mayensi est en train de papoter avec un jeune homme beau comme un prince. Ce dernier bat aussitôt en retraite, intimidé par la noirceur de mon regard.

— Qui est-ce ? demandé-je à Mayensi une fois dans la rue.

— Je ne le connais pas.

— Il avait l'air de bien s'entendre avec toi.

— C'est quoi, le problème ?

— Le problème, c'est lui. Il faut te méfier de ces charmeurs de serpents. Ils ne pensent qu'à baratiner leurs proies pour abuser d'elles.

Elle s'arrête, un sourire narquois sur les lèvres.

— Serais-tu jaloux ?

— Je veille sur toi.

— Tu es rouge comme une pivoine, me taquine-t-elle.

— C'est parce que la peur de te perdre m'écorche vif.

Elle pose ses mains de fée de part et d'autre de mon visage, traque mes yeux, les accule. Son sourire disparaît sous une moue chagrine. Elle me chuchote dans l'oreille :

— J'ai besoin de croire que les gens ne me font plus peur.

— Ce n'est pas une raison pour te fier au premier venu.

— Je n'avancerai pas si je ne prends pas de risques. C'est toi qui me l'as enseigné.

— Avancer n'excuse pas la précipitation.

Elle m'embrasse sur la bouche, au milieu des badauds. Elle, d'habitude si pudique et effarouchée. Son audace grandissante me met mal à l'aise.

Je commence à me demander si je dois la laisser s'exprimer comme bon lui semble ou, sans la brusquer, l'amener à plus de retenue.

— Ai-je tort d'essayer de rattraper le temps perdu ? me chuchote-t-elle à l'oreille.

— Ce n'est pas ça.

— Alors, de quoi s'agit-il ?

Je toussote dans mon poing avant de lui avouer :

— Quand je vois ces jeunes loups rôder autour de toi, j'ai peur que tu te remettes à t'intéresser à mes rides, au blanc dans mes cheveux.

— Je ne regarde pas de ce côté.

— Je ne regarde que toi, Mayensi.

Elle serre les lèvres en hochant la tête. Puis elle dit :

— On ne se reconstruit pas d'un claquement de doigts. J'ai besoin d'avoir confiance. Je n'ai pas le choix.

— Ton choix est devant toi. Et c'est le bon.

— Chut, me fait-elle en appuyant ses lèvres contre les miennes. Rentrons. On a juste le temps de se changer pour la soirée.

Et quelle soirée !

J'ai dansé comme un jeune de vingt ans, chanté à faire reculer les murs de l'enceinte. Le public m'a réclamé à gorge déployée ; il a scandé mon nom en tapant des pieds et des mains pour que je revienne sur scène après ma prestation. Les yeux de Mayensi étincelaient plus fort que les flashes qui me bombardaient de tous côtés.

Nous sommes rentrés à la maison vers deux heures du matin et, bien qu'épuisés, nous avons fait l'amour.

Le lendemain, un soleil éclatant nous a extirpés du lit. La mer était d'un calme enivrant. Nous avons nagé des heures durant en nous aspergeant de gerbes d'eau. Si seuls et unis sur la plage déserte que nos rires ont résonné jusque dans la brume au large.

Un moment, Mayensi m'a faussé compagnie et a nagé si loin que je ne la voyais plus. À son retour, je lui ai demandé pourquoi elle se risquait là où une stupide crampe pouvait lui être fatale. Elle m'a répondu que c'était pour rejoindre quelqu'un qui lui était très cher.

— Un amour d'adolescence ?

— Peut-être bien.

— Il s'est exilé en Floride ?

— Il est parti, c'est tout.

Elle a regagné la maison et n'a plus proféré un mot.

Des bruits me réveillent. Quelqu'un a allumé dans le salon. Mayensi n'est pas à côté de moi. Ma montre indique trois heures quarante-cinq.

Je repousse le drap et sors du lit.

Mayensi est en train de chercher quelque chose. Elle a ouvert l'armoire, mis les tiroirs sens dessus dessous.

— J'ai besoin d'un stylo, peste-t-elle.

Je déniche un bout de crayon de couleur dans la petite pièce des enfants. Mayensi me l'arrache des mains, déchire les pages vierges d'un livre et court s'attabler dans la cuisine. Sa fébrilité m'intrigue.

— Retourne te coucher, me dit-elle.

— Tu es sûre que ça va ?

— S'il te plaît, ne reste pas là. Tu m'empêches de me concentrer.

— Mais enfin, qu'est-ce qui te prend ? Tu es toute retournée.

— Je t'en prie, va te coucher.

Je regagne la chambre, chamboulé.

Mayensi s'éternise dans la cuisine. Je l'entends grommeler en froissant les feuilles, en déchirer d'autres, arpenter le salon. Est-elle en train de m'écrire une lettre d'adieu que je trouverai placardée quelque part au matin ? Mon indiscrétion sur la plage aurait-elle été la question de trop ? L'aurais-je blessée à mon insu ? Ma tête crépite d'interrogations angoissantes. L'ouïe en alerte, je me tiens prêt à bondir hors du lit. Je surveille la porte de l'extérieur, le cœur en déroute.

À mon grand soulagement, Mayensi éteint dans le salon et revient se glisser à côté de moi. Elle se presse contre mon flanc, m'embrasse dans le cou et se rendort.

Le matin, elle est la première debout. Elle finit de préparer le déjeuner, un peu excitée, mais souriante.

— Tu es radieuse.

Elle me désigne une chaise.

— Bois ton café.

Elle ne parvient pas à contenir son enthousiasme. Ses yeux brillent d'une jubilation extrême. Ses mains sont rouges à force de se triturer. On dirait qu'elle est sur le point de m'annoncer une bonne nouvelle. A-t-elle finalement décidé de m'épouser ? J'avale mon café d'une traite. Mayensi prend ma tasse, la met dans l'évier, se tourne vers moi, frémissante de la tête aux pieds. Du menton, elle m'indique un vieux livre sur la table.

— Ouvre-le.

Sous la couverture du livre, il y a une page adroitement déchirée. Dessus, un texte tracé au crayon vert que je ne parviens pas à déchiffrer à cause de ma presbytie.

— Qu'est-ce que c'est ?

— Lis.

— Je n'ai pas mes lunettes.

Elle s'assoit près de moi, s'empare de la feuille.

— Ne te moque pas de moi. J'écris comme je le sens.

J'ai hâte de savoir de quoi il retourne, aussi ne dis-je rien.

Mayensi inspire profondément. Sa voix résonne à travers mes fibres comme une bénédiction :

> *Quand il chante Don Fuego*
> *Les dieux se mettent au repos*
> *Et dans le silence aux abois*
> *On n'entend que sa voix*

Quand il chante Don Fuego
Tout autour devient beau
Et les femmes en émoi
Lui tombent dans les bras

La nuit renoue avec ses rêves
Et nul ne veut que s'achèvent
La fête des fêtes ni ses échos
Quand il chante Don Fuego

Il faut qu'il chante Don Fuego
Afin que le jour et la nuit
Ne fassent qu'un seul cri
Pour acclamer Don Fuego

Je reste sans voix. Cisaillé. Bouche bée. Ému aux larmes.

Elle attend ma réaction. Je ne peux ni bouger un doigt ni remuer les lèvres.

— Je sais, il n'est pas tout à fait au point, je compte le travailler encore.

— Surtout pas, lui dis-je dans un trémolo. Ton texte est parfait. Magnifique. C'est le plus bel hommage qu'on m'ait fait depuis que je suis venu au monde.

Je l'ai prise dans mes bras et je l'ai serrée si fort que j'ai manqué l'étouffer.

22.

Il paraît que le rêve ne dure qu'une fraction de
seconde.

Le mien dure depuis deux mois et sept jours. À
chacun de mes réveils, il pointe au pied de mon lit,
éclatant de lumière, plus intense qu'hier et les
semaines d'avant. Les choses s'arrangent pour
moi. J'enchaîne les concerts. Bien sûr, j'interviens
uniquement en ouverture, mais la scène, j'en suis
persuadé, me prépare à des lendemains plus généreux. Pour mon dernier tour de chant, j'ai eu mon
nom inscrit en gras sur l'affiche. Ma photo finira
bien par le rejoindre un jour. Avec Mayensi, la
graine que je sème me promet des moissons iné-
puisables. Je suis comblé au point de ne plus savoir
où engranger mon excédent de bonheur. Il est des
moments où l'on voudrait que le temps s'arrête,
qu'il se réduise à cet instant de grâce où tout nous
sourit. Et cet instant est arrivé. La baraque en bord
de mer est devenue ma cité interdite. Ses remparts
sont tellement hauts que les nuages s'émiettent

dessus. Les opportunités que je n'avais pas su saisir, les promesses d'une carrière artistique hors
norme, rien de ce qui me brisait le cœur ne chahute
désormais ma béatitude. Mayensi me dédommage
de mes infortunes, me prête une nouvelle jeunesse.
Mes rides ont disparu, ou peut-être ne me
dérangent-elles plus. Chaque matin, je me lève
dans un corps flambant neuf.

Si je prie pour que le temps passe son chemin en
nous ignorant, ma belle et moi, c'est parce que le
temps ne peut s'empêcher de jalouser ceux qui
croient dur comme fer que les fourberies de ce
monde sont loin derrière, distancées à jamais.

À l'occasion de la fête nationale, Orimi Anchia
m'a mis sur la liste des invités. Au début, je n'ai
pas apprécié. Un artiste ne supporte pas d'être à
table tandis que les amuseurs défilent sous les feux
de la rampe. Orimi a insisté. Il va y avoir du beau
monde, m'a-t-il confié au téléphone. Il me présen-
tera au ministre de la Culture. Qui sait ? Un coup
de fil pourrait suffire à relancer ma carrière.

J'ai mis des heures à repasser mon plus beau
costume, à cirer mes chaussures et à me savonner
le corps sous la douche, puis, rasé de frais et parfumé, j'ai attendu le soir comme un bonze la réin-
carnation.

Le ciel s'est ecchymosé de nuages noirâtres
dans l'après-midi. De la fenêtre, Mayensi obser-
vait la mer démontée. Un mauvais pressentiment
obscurcissait son regard. J'ai eu un mal fou à la
convaincre de m'accompagner à l'Esmeralda.

— On ne vit pas que d'eau fraîche, argué-je. C'est une occasion à ne pas louper. J'ai besoin de travailler pour que nous ne manquions de rien. Tu sais comment ça se passe dans notre pays. Un semblant de parrainage, et c'est parti.

Elle s'est changée en silence. Avec un manque d'enthousiasme tel que j'ai été forcé d'arranger sa toilette.

Nous trouvons un taxi clandestin sur la route. Pour quelques pesos. Quand il arrive à destination, le chauffeur regrette de n'avoir pas triplé le prix de la course. L'Esmeralda brille de mille artifices, pavoisée de fanions et de guirlandes argentées, avec des colliers de lampions autour des cocotiers. Le parking est jonché de voitures officielles. À l'entrée, un service de sécurité renforcé passe au crible les convives. Mayensi a failli tourner de l'œil lorsqu'un agent l'a priée de patienter.

— C'est juste pour réguler l'affluence, la rassuré-je.

Un attroupement inextricable s'agglutine dans la grande cour de l'établissement. Tous les nababs de La Havane sont au rendez-vous, les uns sanglés dans leur uniforme de troufions endimanchés, les autres dans des costumes impeccables. Les dames, pour la plupart assez âgées, arborent ostensiblement les attributs de leur statut, certaines se réclamant de la nomenklatura, d'autres de la réussite sociale. Bien sûr, les épouses et les filles des décideurs sont les plus arrogantes ; leur morgue rappelle aux «parvenus», qui prennent leur fortune *suspecte* pour un tremplin, qu'un jour ou l'autre il leur sera demandé des comptes, puisque à Cuba l'embourgeoisement demeure, pour les grands comme pour les petits, une hérésie idéologique aussi nauséabonde qu'un relent impérialiste.

Orimi parvient à me localiser dans le chaos. Il me fait signe de patienter là où je suis, le temps pour lui de s'occuper des invités de haut rang. Lorsque le beau monde est enfin installé autour des innombrables tables recouvertes de nappes blanches et de bouquets de fleurs, dans l'immense salle de réception, un employé vient nous chercher, Mayensi et moi, pour nous conduire à notre place, au cinquième rang, face à la scène drapée de velours grenat. Nous avons, pour voisins de table, deux grosses dames peinturlurées et leurs époux – une paire de vieillards desséchés qui, à peine arrivés, s'ensommeillent déjà, pathétiques dans leur costume lustré –, un militaire bardé de médailles et un garçonnet timide qui a l'air un peu perdu au milieu de la faune des privilégiés.

Le militaire est une armoire à glace avec une tronche taillée au burin, le sourire mauvais et les yeux d'un bleu glaçant. Il ne me laisse pas le temps de souffler :

— À qui ai-je l'honneur ?

— Juan del Monte Jonava, mon colonel.

— Tu es quoi dans le Parti ?

— Je suis musicien.

— On va t'entendre, ce soir ?

— Malheureusement, non.

Le colonel fait « hum » avant de porter son attention sur Mayensi. Ma compagne m'étreint la main sous la table, terrifiée par l'uniforme de l'officier.

— Et toi ?

Mayensi se tourne vers moi, effarouchée.

— C'est ma nièce, mon colonel. C'est la première fois qu'elle est conviée à une fête nationale. Elle est un peu impressionnée.

— Pourquoi portes-tu des lunettes de soleil ?

— Elle a les yeux fragiles depuis une méchante maladie contractée dans son enfance.

— Elle est muette aussi ?

— Non, mon colonel.

— Alors pourquoi ne la laisses-tu pas répondre ? Serait-elle ventriloque, et toi, sa marionnette ?

La panique s'accentue sous la table. L'étreinte de Mayensi est en passe de m'écrabouiller les doigts.

— Tu es toute pâle, fait le colonel en dévisageant avec acuité ma compagne.

— Je suis souffrante, dit Mayensi.

— J'espère que ce n'est pas contagieux.

— Ce n'est pas contagieux.

— Étudiante ?

— Oui.

— Sciences ?

— Littérature.

Le colonel essuie les commissures de sa bouche dans un bout de serviette, se tourne vers l'une des deux dames.

— Vous avez peut-être une grande fan à cette table, chère Caridad.

La dame glousse sans pour autant s'intéresser à nous, plus occupée à observer les convives qui se congratulent çà et là.

— Tu sais qui est cette célébrité à côté de moi ? demande le colonel à Mayensi.

— C'est Caridad Sacramento.

— Bravo. J'ai tous ses recueils de poésie à la maison... Est-ce que tu aimes la poésie ?

— Oui.

— Quel est ton auteur préféré ?

— Manuel B. Harvas.

— Ce dégénéré, glapit Caridad Sacramento en tordant les lèvres dans un rictus odieux. Les seuls vers qu'il sait composer sont les asticots qui bouffent son cerveau gangrené.

Le colonel repose la serviette sur son assiette, déçu.

— Je plains ton mauvais goût, petite. Ton pseudo-auteur préféré est aussi subversif qu'un tract capitaliste.

— C'est bizarre que l'on enseigne le vomi de cette espèce de charlatan dans nos universités, s'indigne l'autre dame.

— Il n'est pas au programme, rétorque la poétesse. Ni au lycée ni à l'université. Nous veillons au grain. Ce qui m'afflige est de constater que plus un auteur est néfaste, plus nos jeunes en raffolent.

Mayensi est sur le point de s'enfuir. Cette fois, c'est moi qui la retiens par la main sous la table.

La polémique est interrompue par la fébrilité qui vient de naître à l'entrée de la salle. Les agents de sécurité commencent à s'agiter, les officiers à rajuster leur tenue. Orimi Anchia et son comité d'accueil sortent dans la cour. Ils reviennent aussitôt, ouvrant la marche à une importante délégation. Le brouhaha s'atténue avant de se faire avaler par un silence solennel. Les convives des premiers rangs se lèvent, le reste suit dans un crissement de chaises. Je me tords le cou pour voir ce qui se passe, ne réussis qu'à entrapercevoir une casquette verte par-dessus les têtes. C'est Fidel en personne qui débarque, sa cour prétorienne derrière lui. Les applaudissements, de plus en plus nourris, se répandent tel un feu de paille dans la salle. Quelques militants zélés braillent des slogans claironnants ponctués de «*Viva El Commandante*». La fièvre s'empare de l'assemblée. Les bras du Guide s'élèvent plus haut pour inviter la salle à se calmer et se rasseoir. Petit à petit, les barricades humaines se rabougrissent et je peux enfin entrevoir les épaules et la tête du dieu vivant.

Un présentateur vedette de la télévision nationale apparaît sur la scène, escorté par Orimi et le ministre de la Culture. Commence alors un interminable ballet de remerciements adressé à notre président et à ses vénérables camarades. Le présentateur de la télé a la voix qui tremble. Il aligne les lapsus autant que les courbettes, mais pour ses inconditionnels, son émotion sincère et ses maladresses ne font que renforcer son charme. Orimi a préparé un texte d'une demi-page qu'il peine à lire jusqu'au bout tant le souffle lui manque. Je suis soulagé pour lui lorsqu'il cède la parole au ministre. Ce dernier nous gratifie d'un discours-fleuve qui finit par lasser l'auditoire, et la poétesse Caridad Sacramento en particulier. Autour de nous, les convives se remettent à papoter, d'autres à pester bassement contre le tribun.

Le colonel revient à la charge. Il se verse un verre d'eau, y trempe le bout des lèvres.

— J'aimerais bien savoir ce que cachent ces grotesques lunettes, bougonne-t-il.

Je sens Mayensi se contracter.

— Tu ne vas pas me raconter que tu dors avec, jeune fille. Je ne te croirais pas. Allez, montre-moi tes yeux.

Mayensi retire ses lunettes d'un geste chargé d'une sourde furie.

— Waouh! s'exclame le colonel. Tu as raison de les cacher, ma mignonne. Des yeux comme les tiens feraient perdre la tête au pape lui-même.

— Ça suffit, mon colonel, lui dis-je avec fermeté. Ma nièce est de santé fragile. Elle est en convalescence...

Le ministre finit son speech. La salle l'applaudit passablement. Un vaste rideau coulisse sur le côté, dévoilant un orchestre militaire. Le maestro, baguette conquérante en main, ouvre les vannes d'une centaine de gosiers ardents qui font déferler sur la salle une crue de chants patriotiques.

Mayensi me demande où se trouvent les toilettes. Un employé lui indique le chemin. Elle quitte la table en titubant.

— Qu'est-ce qu'il lui prend? s'enquiert le colonel.

— Je vous ai dit qu'elle est souffrante.

— Il ne fallait pas l'amener, maugrée la poétesse en s'éventant avec son carton d'invitation.

L'orchestre se retire dans une quasi-indifférence tandis que les serveurs, plateau à la main, voltigent autour des tables. Nous avons droit, en guise d'entrée, à des salades mixtes agrémentées de bouts de langouste. Les deux dames secouent leurs époux et les somment de manger. Le colonel ingurgite sa part avant que j'aie fini de déplier ma serviette. Le garçonnet repousse son plat, visiblement allergique aux crustacés.

Mayensi a disparu dans les toilettes depuis plus d'une vingtaine de minutes. J'ai mal au cou à force de surveiller le couloir qu'elle a emprunté. Sur la scène, un groupe de musiciens accorde ses instruments. Les projecteurs s'enflamment au moment où Ayala Junior, enserré dans un trois-pièces blanc, entre en scène sous un déluge d'ovations. Le «petit prince de la rumba» commence par saluer Fidel, envoie un baiser papillonner par-dessus la salle et, battant la mesure avec la pointe du pied, donne le signal à ses instrumentistes. La fête démarre enfin.

Je profite du vacarme endiablé pour aller chercher Mayensi. Les toilettes se situent au sous-sol. L'escalier qui y mène est si étroit qu'il me faut raser le mur. En bas, côté homme, il n'y a personne. Je m'approche de l'espace réservé aux dames, avec précaution, appelle Mayensi; elle ne répond pas. Je m'aventure dans les cabinets; ils sont déserts. En rebroussant chemin, je distingue une silhouette enfouie sous la rampe de l'escalier.

— Ce n'est pas le meilleur endroit pour dîner, Mayensi.

Sa manière de se conduire m'exaspère. Je la trouve ridicule.

— Je veux rentrer à la maison, gémit-elle.

— On vient à peine d'arriver.

— Je ne me sens pas bien.

— Sors d'abord de là. On dirait une gamine qui joue à cache-cache.

Elle obéit. Son visage est crayeux; elle tient difficilement sur ses jambes.

— Tu es sur le point de t'évanouir. Qu'est-ce qu'il y a? C'est le militaire qui te met dans cet état? Ce n'est qu'un crétin zélé qui croit que ses galons compensent sa muflerie.

— Il a des soupçons, j'en suis sûre.

— Quels soupçons, voyons? C'est la fête nationale, et ce soir, il n'y a qu'un seul centre d'intérêt : Fidel.

— Je suis certaine qu'on ne nous a pas mis à cette table par hasard. Cet officier est chargé de me démasquer. Il m'a demandé de retirer mes lunettes pour s'assurer que c'était bien moi. Je t'en supplie, ramène-moi à la maison.

J'éclate d'un rire excédé qui m'écorche la gorge.

— Personne, ce soir, ne te demandera si tu as l'autorisation d'être à La Havane ou pas. Tu es une invitée parmi les personnalités les plus importantes du pays. Et puis, qu'est-ce qui te fait croire que tu es recherchée ou traquée? Chasse ces maudites idées de ta tête et amuse-toi un peu. Détends-toi, bon sang. On est ensemble, ça doit te rassurer. C'est important pour nous deux d'être là. Je vais rencontrer le ministre de la Culture, et des gens haut placés. Ma carrière dépend de cette nuit. Demain, j'en suis persuadé, sera un autre jour. J'aurai des relations à mon tour, et je pourrai t'avoir les autorisations et les documents que tu veux.

— Tu n'es pas obligé de rentrer avec moi.

— Je ne te laisserai pas partir seule. Si tu penses que ma carrière n'est pas une priorité, eh bien, tant pis, rentrons sans tarder.

Elle cède, va se passer le visage sous l'eau et accepte de retourner dans la salle.

Elle n'a pas touché à son repas. Raide sur sa chaise, elle feint de s'intéresser à la scène. Caridad Sacramento s'est envolée – le talent, au pays de la censure, étant indissociable de l'allégeance, la poétesse doit être quelque part à faire les yeux doux aux caciques du régime. Le garçon a disparu, lui aussi. Le colonel discute avec un autre officier à la table voisine.

Orimi vient enfin me chercher, si enthousiaste qu'il ne fait pas attention à ma compagne.

— Dépêche-toi, le ministre t'attend.

— Je reviens immédiatement, dis-je à Mayensi.

— Je sors prendre l'air, m'annonce-t-elle.

— D'accord.

Pendant que je me dépêche derrière Orimi au milieu des tables, je vois Mayensi se diriger vers la porte qui donne sur l'arrière-cour. Je veux lui adresser un petit signe de la main, mais elle me tourne le dos.

23.

L'entretien avec le ministre de la Culture n'a pas été long. Ma queue-de-cheval l'a indisposé. Il m'a tendu une main molle en me tenant à distance, a hoché la tête pendant qu'Orimi m'encensait, ensuite, il est parti réconforter les quémandeurs d'estime qui piaffaient dans le couloir.

Orimi me présente à d'autres figures de proue du Parti. Une véritable épreuve pour moi. Je ne supporte pas que l'on me prenne de haut, pourtant je garde le sourire. À Cuba, on ne déroge pas au protocole sans casse. Les décideurs ont une susceptibilité qui frise l'urticaire. Aucun être sensé n'a intérêt à se les mettre à dos.

Un seul nabab consent à m'accorder son attention. Ancien directeur des festivals de la musique, Alfonso Ruiz n'en demeure pas moins influent. Il a marié sa fille au rejeton d'un proche de Fidel et, bien qu'à la retraite, il continue de tirer quelques ficelles. Ce soir, il est soûl à prendre un cochon

pour un éléphant rose. Il m'invite à lui tenir compagnie dans un salon privé.

— Alors, comme ça, tu bossais au Buena Vista ?

— Oui, monsieur.

— Appelle-moi Al.

— Oui, Al.

— Pedro était un bon directeur. C'est moi qui le
parrainais. Qu'est-il devenu ?

— Je l'ignore.

— Je n'ai pas été d'accord avec la privatisation
du Buena Vista. Quelle gifle ! Où va-t-on comme
ça ?

— On se le demande.

Il vide son verre d'une traite et envoie un
employé lui en chercher un autre.

— J'aurais fait des pieds et des mains pour
empêcher la transaction. Avant, j'avais mon mot à
dire. D'ailleurs, on m'a mis à l'écart à cause de
mon franc-parler. Je suis quelqu'un d'intraitable. Il
y a des valeurs auxquelles on ne touche pas.

— Absolument, Al, absolument.

Il se gonfle comme une baudruche, retrousse ses
narines en mimant une indignation théâtrale.

— Les gens n'ont plus de principes. Les vrais
militants, on les a tous mis en quarantaine. On n'a
gardé que les moutons et les toutous. J'en suis
consterné.

Je prie pour qu'Orimi revienne vite me tirer de là.
Alfonso Ruiz est une grossière erreur de casting. Ce
genre d'individu ne sait pas rendre service. S'il

vous accorde une heure, c'est pour vous rallier à ses aigreurs.

— J'étais l'un des rares hauts fonctionnaires à cogner sur la table de Fidel quand la Révolution était égratignée. C'était l'époque où la ferveur patriotique sortait des tripes et non du bout des lèvres. Aujourd'hui, la démagogie se déverse sur la place publique. On cède nos stèles pour des miettes et on se regarde dans la glace sans se détourner.

— C'est le règne des prédateurs, renchéris-je en consultant ostensiblement ma montre.

L'ancien décideur s'enhardit.

— J'aurais pu finir ministre, s'exclame-t-il, un énorme doigt sur la poitrine.

— Je n'en doute aucunement, Al.

— Tous les gros bras qui se massent autour de Fidel, je les ai connus hauts comme ça. Mais si c'est pour leur ressembler, non merci. Je ne suis pas une mouche à viande. On m'a proposé des postes prestigieux, des ambassades en Afrique et dans les républiques soviétiques pour m'amadouer. Ça ne marche pas avec bibi. Bibi a des principes. Quand c'est noir, c'est noir. Quand c'est blanc, c'est blanc. Ma femme trouve que j'en fais trop. Moi, je trouve que je n'en fais pas assez. Je donnerais mon sang pour Cuba, moi. Je suis un militant de la première heure.

Et il parle, parle... Alfonso Ruiz n'a pas le temps de reprendre son souffle ni de réfléchir. Il enchaîne les récits corsés à l'extrême, me raconte son enfance

dans une famille aisée, ses premiers chocs idéolo-
giques, ses escarmouches dans le maquis, ses prises
de bec avec le Che, ses bagarres homériques lors
des congrès, ses grands projets pour la patrie,
puis il bifurque sur des anecdotes sans intérêt,
revient sur certains détails qui remontent à des
années-lumière, saute du coq à l'âne. Je suis sur le
point d'imploser à force de prendre sur moi. Et
dire que j'étais venu à l'Esmeralda saisir au vol
n'importe quelle perche.

Par correction, ou bien par mesure de précaution, je n'ose pas interrompre Alfonso Ruiz, de
plus en plus grisé par sa volubilité. D'ailleurs comment l'interrompre ? Chaque fois que je porte mon
attention ailleurs, il m'attrape par le menton pour
me tourner vers lui.

Je maudis Orimi de m'avoir livré à cet ogre qui
doit me prendre pour le greffier assermenté de
l'Histoire de la nation, chargé de revoir la copie
des officiels afin de rendre à chaque héros la place
qu'il mérite dans la mémoire populaire.

— Ne bouge pas d'ici, m'ordonne-t-il enfin. Je
vais pisser et je reviens te raconter un tas d'histoires
croustillantes sur ces divinités autoproclamées.

Je n'ai pas attendu qu'il atteigne le bout du couloir pour déguerpir. Mayensi n'est pas à notre table
ni dans les toilettes. Je me rends dans l'arrière-
cour. Personne. Je la cherche en vain dans les
jardins et sur le parking, demande aux vigiles s'ils
n'ont pas vu sortir une jeune fille brune portant

une robe blanche et des lunettes de soleil. Ils me font non de la tête.

J'entends la mer clapoter derrière un sous-bois. *Sûr qu'elle est allée sur la plage*, pensé-je. J'emprunte le raidillon qui y mène. Une centaine de mètres plus loin, je bute contre une chaussure. J'allume ma petite lampe de poche pour vérifier si c'est bien celle de Mayensi. Mon cœur s'affole dans ma poitrine lorsque je reconnais la chaussure.

Au pied d'un fucus tropical, je tombe sur la perruque. Il n'y a plus de doute, quelque chose est arrivée à Mayensi. Un mauvais pressentiment s'empare de moi. Je me précipite sur le sentier, balayant les alentours avec ma torche. Je me rends compte que je suis en train d'appeler Mayensi à voix basse comme si je craignais de l'effaroucher. N'obtenant pas de réponse, je me mets à courir droit devant.

Mayensi est prostrée sur un bout de plage caillouteuse. Je ne vois que son dos ployé. Quelque chose gît à côté d'elle. Au début, je crois qu'il s'agit d'un tronc d'arbre ou bien d'un tas d'algues rejeté par les flots. Mais, horreur, c'est le corps d'un homme qui est étendu par terre, couché à plat ventre.

Le sol chavire sous mes pieds.

Mayensi sanglote, une pierre à la main.

Je me penche sur l'homme. Je n'ai pas besoin de lui prendre le pouls. On ne survit pas avec un crâne en bouillie.

La terre vacille autour de moi, les arbres s'entremêlent, le fracas des vagues résonne à mes tempes dans un mugissement funeste. L'air est pollué par l'odeur du sang – une odeur *tangible*, visqueuse, rebutante, qui s'accroche aux branches, dégouline des troncs, suinte sur les galets, emplissant l'endroit d'une terreur glaçante.

— Dis-moi que ce n'est pas vrai. Mayensi, je t'en supplie, dis-moi que je vais me réveiller

La chevelure défaite, Mayensi se tient face à la mer en psalmodiant des mots inintelligibles.

— Mais qu'est-ce que tu as fait? Ce n'est pas possible.

Mayensi redresse lentement l'échine, les épaules tremblantes, la robe déchirée dans le dos.

— Mayensi...

Elle me présente un visage livide, distordu, épouvantable. Son regard est vague, éperdu. Lorsqu'elle découvre la pierre ensanglantée dans sa main, elle accuse un soubresaut, émerge un instant de ses abîmes, semble ne pas comprendre avant de réaliser ce qu'elle vient de commettre. Elle a la réaction de quelqu'un qui découvre un serpent dans son sac. Tout son corps se soulève. Elle lâche la pierre, essuie ses mains sur sa robe. Ses gestes sont saccadés, chargés d'écœurement et d'effroi.

— Mais qu'est-ce que tu as fait? répété-je en bafouillant.

Elle roule des yeux déments.

Son hébétude m'effraie autant que le cadavre à mes pieds.

La petite plage n'est que mort, malheur, cauchemar grandeur nature. Le corps désarticulé s'est substitué à ce qui l'entoure. Je ne vois que lui, le sang auréolant son crâne défoncé, sa terrible rigidité, et je me dis qu'il n'a pas le droit d'être là, qu'il n'est pas à sa place, qu'il fausse tout, qu'il doit s'évanouir dans la nature comme un effet d'optique avant que j'aie cligné des yeux. Sauf qu'il demeure là, obstinément, le cadavre de mes vœux les plus chers, il est bien là, à sa place, puisque aucun autre endroit ne le réclame. J'ai le sentiment d'être le plus maudit des hommes, que je suis conçu pour voir l'ensemble de mes rêves s'effondrer les uns après les autres comme un château de cartes.

Je tremble de la tête aux pieds, le ventre retourné.

— Je lui ai dit de ne pas m'approcher, laisse-t-elle échapper dans un glapissement caverneux.

Sa voix me remue les tripes, me plie en deux. Je tombe à genoux et vomis à m'en arracher les tripes.

— Pourquoi, Mayensi, pourquoi?

Je me retiens de lui sauter dessus, de la rouer de coups jusqu'à ce qu'elle rende l'âme. En même temps, je me sens si peu de chose, usé et ridicule, aussi coupable qu'elle. Je m'en veux d'être arrivé trop tard, de n'être que le témoin accablé et inutile d'une effroyable boucherie. Je suis en colère contre le cadavre qui ne devrait pas être là, contre le hasard qui a rendu le drame possible, contre les dieux et l'esprit des ancêtres souverainement indifférents aux offrandes.

Et l'air qui pue le sang, pourquoi vicie-t-il mon âme?

J'ai envie de hurler, de tout dévaster autour de moi, pourtant je reste planté là, hagard, les bras ballants, attendant bêtement que Mayensi se relève et me dise «rentrons».

Soudain, tout se déchaîne : la peur, la fureur, la sueur, les frissons, la nausée, la panique. Je cours chercher la perruque et la chaussure laissées sur le sentier, ne trouve pas les lunettes, vomis de nouveau, à quatre pattes, reviens sur la plage, chancelant, halluciné, la tête crépitant de cris intérieurs, de râles et de sanglots dépités.

— Partons d'ici avant que quelqu'un s'amène.

Mayensi fixe le cadavre, hypnotisée.

— Pourquoi ne m'a-t-il pas laissée tranquille? dit-elle d'une voix sourde.

— Fichons le camp, je te dis.

— Je ne faisais rien de mal. Je voulais seulement prendre l'air. Alors pourquoi il m'a suivie? On ne peut plus rester seule, maintenant? C'est... c'est insupportable, à la fin. J'étais bien. Pourquoi est-il venu me... me...

— Je t'en prie, lève-toi, réveille-toi.

Elle n'a pas l'air de m'entendre.

— J'étais bien, délire-t-elle, j'étais guérie. J'étais guérie, guérie, guérie...

Elle s'empare d'une autre pierre et s'apprête à pilonner le crâne du mort. Je m'efforce de lui faire lâcher prise. Pas une fois elle ne lève les yeux sur moi. Elle ne se rend même pas compte que j'essaye de l'aider.

Terrassée, elle se couche en position fœtale, les poings entre les cuisses, la bouche ouverte sur un cri atrocement silencieux. Je la saisis par les épaules; elle se recroqueville davantage, collée au sol, le corps parcouru de convulsions, la bouche démesurément ouverte sur l'interminable cri qui ne parvient pas à se libérer.

Je retourne sur le sentier chercher ses lunettes. Je ne les retrouve pas. À travers les fucus, je vois l'arrière-cour de l'Esmeralda, les fêtards qui vont et viennent, des bouts de cigares brasiller dans le noir. Ma terreur s'accentue. Chaque minute qui passe est un péril en marche. Je regagne la plage en courant comme un forcené.

Mayensi est toujours couchée en chien de fusil.

— Je ne veux pas qu'on me pende, sanglote-t-elle.

J'ignore comment je suis parvenu à l'éloigner de la plage, à lui faire traverser les bois et à la traîner loin de l'Esmeralda.

— Tu ne vas pas les laisser m'arrêter, hein? geint-elle. Tu ne vas pas les laisser me pendre.

J'ai plus de pitié pour elle que de dégoût.

— Si ça arrive un jour, nous serons deux sur l'échafaud, je te le promets.

Nous avons marché jusqu'à Santa Fe. À proximité de la route pour ne pas nous perdre. Nous jetant derrière les arbres dès l'approche d'une voiture. Pareils à deux évadés. Mayensi titube contre moi. Son odeur et celle du sang de sa victime se confondent, ses mains écorchées rappellent son crime. Elle n'est qu'une ombre greffée à ma peau. Parfois, l'idée de l'abandonner à son malheur et de m'enfuir sans me retourner fulgure en moi. Curieusement, je me surprends à la serrer plus fort encore. Cependant, je ne peux pas lui pardonner. Son geste meurtrier est une trahison. Elle a ruiné mon âme, mes rêves et nos projets. Elle a remis l'*instant* qui était à nous dans la course du temps. Quand je pense qu'au matin, je priais pour que le temps passe en nous ignorant, ma belle et moi. Je me suis toujours méfié du temps. Joueur redoutable, il cache toujours un atout dans sa manche. Dans son impénétrable sérénité, le temps laisse faire sans se dévoiler, confiant et omnipotent, certain que la mise lui reviendra de droit. N'empêche, j'ai osé espérer que, pour une fois, il soit attendri par notre amour et fasse une exception. Mais Mayensi a rompu le charme. Elle nous a disqualifiés tous les deux. Et revoilà le temps qui nous pousse devant lui comme deux bêtes sacrificielles.

Nous avons atteint la maison vers deux heures du matin.

Mayensi s'est écroulée dans le salon. Je n'ai pas cherché à la relever. Aucune épreuve n'égalera sa peine, désormais. Je regarde la femme qui m'a fait rêver comme on regarde un lamentable gâchis.

Nous restons ainsi étrangers l'un à l'autre, cha-cun dans son désarroi. Je n'éprouve même pas le besoin de savoir ce qui s'est passé; il y a eu mort d'homme, aucune circonstance ne la justifie. J'ai du chagrin pour cette gosse qui, en cherchant à se reconstruire, n'a fait qu'accélérer sa propre destruction. Je m'aperçois que les prières les plus ferventes ne dépassent guère le contour des lèvres, que plus le rêve est beau, plus la farce est cruelle, que souvent les vœux pieux finissent en abjurations, et que s'il n'y a pas forcément de morale aux choses de la vie, il y aura toujours des regrets.

Les larmes se mettent à ruisseler sur mes joues.

Mayensi se barricade derrière ses genoux. Par intermittence, elle marmonne deux ou trois mots, frappe le sol avec le plat de la main.

Je vais encore vomir dans les lavabos.

À mon retour, je vois, par la fenêtre, Mayensi marcher vers la mer telle une somnambule. Ses intentions sont manifestes. Je cours la rattraper. Elle me repousse, se rue vers l'eau. Je la ceinture; elle me griffe au visage, me mord le bras. Je la ramène avec force à la maison. Notre lutte est sans merci, faite de coups et de cris; nous ne nous parlons pas. Chaque fois qu'elle bondit vers la porte, je l'intercepte pour l'empêcher de sortir. Elle finit par regagner son coin. En silence. Le visage exsangue. Le regard vitreux.

J'essaye de réfléchir à la conduite à tenir; mes pensées et mes repères sont en charpie.

Après s'être recroquevillée sur elle-même pendant une éternité, Mayensi se lève pour se rendre dans la cuisine. Je la suis de près, en alerte. Elle farfouille frénétiquement dans les tiroirs, balaie avec hargne les ustensiles sur la table, renverse les assiettes qui se brisent au sol dans un fracas effarant. Ses gestes expriment le délire; son corps n'est que spasmes et furie.

— Laisse-moi m'en aller, halète-t-elle.

— Tu viens de tuer un homme. Son sang n'a pas encore séché sur tes mains.

— Écarte-toi.

— Où comptes-tu te rendre? C'est la fête nationale, il y a des barrages. Tu leur diras quoi s'ils t'arrêtent, avec ta robe ensanglantée? Tu n'as même pas de papiers sur toi...

— Écarte-toi.

— Il n'en est pas question. Prends une douche et tâche de recouvrer tes esprits. Je suis la seule personne sur cette île en mesure de te tirer des sales draps dans lesquels tu t'es fourrée.

Chaque fois que je tente de placer un mot, elle me mitraille avec ses «écarte-toi», les yeux de plus en plus exorbités, la bouche écumante.

— Vas-tu te taire à la fin? Tu es en train de me déconcentrer. Comment veux-tu que je réfléchisse? Laisse-moi mettre un peu d'ordre dans mes idées. Je trouverai bien une solution.

— Laisse-moi m'en aller.

— Réveille-toi, bon sang. C'est moi, Juan. Je suis à tes côtés. Tu n'es pas en état de t'aventurer où que ce soit.

— Pour la dernière fois, écarte-toi de mon chemin. Ne m'oblige pas à te marcher sur le corps.

Et elle a pour moi un regard que je ne lui ai jamais vu auparavant – un regard éteint, aussi sinistré qu'une terre brûlée, d'un noir qui semble surgir de la vallée des ténèbres, froid et tranchant comme un couperet qui s'abat.

— Est-ce que tu saisis le sens de mes propos? Je ne veux pas que tu finisses ta vie en prison ou sur l'échafaud...

Quelque chose fulmine dans mon ventre. Je chancelle, incrédule. Mayensi vient de me porter un coup de couteau. Ma main presse la blessure, du sang chaud suinte entre mes doigts. Un vide subit s'empare de mon être; j'ai l'impression de flotter.

— Arrête, Mayensi. Tu es en train de tout fiche en l'air. Ce n'est pas bien...

La lame s'abat de nouveau sur mon flanc. Je titube, suspendu entre la douleur et le vertige. Un troisième coup m'atteint à la poitrine.

— Mayensi, pour l'amour du ciel, arrête. Laisse-moi t'aider.

J'ignore combien de coups elle m'a portés. Je tombe à genoux. Le visage de Mayensi est un masque mortuaire. Ses yeux sont pleins d'orages obscurs. Le couteau me surplombe; je tente de me protéger, aucun muscle ne réagit en moi. Je ne peux que regarder la lame plonger, puis se retirer, plonger encore et encore dans ma chair...

— Ce n'est que moi, Juan, *ton* Juan. Je suis de ton côté, Mayensi...

Ma voix tourbillonne dans un gouffre. Une autre me conjure de ne pas m'évanouir. Des étourdissements gravitent autour de moi, distordent les murs, font ondoyer le sol; j'ai l'impression de tanguer. Je m'accroche à la robe de Mayensi pour ne pas sombrer. Mayensi me repousse et s'enfuit. Je veux la supplier d'attendre, de ne pas se précipiter, de ne pas m'abandonner; je ne perçois qu'un gargouillis qui crachote dans ma gorge. Je m'agrippe à une chaise pour résister au gouffre qui tente de m'avaler. La peur de mourir me catapulte dehors; je discerne les choses à moitié, incapable de distinguer les vagues des buissons qui craquent sous le vent. Mes forces me désertent. Mû par j'ignore quel instinct de survie, je remonte le sentier jusqu'à la route, chavire sur la chaussée. Devant moi, un tunnel tourne en vrille, m'aspire furieusement tandis qu'une onde glaciale, partie de mes orteils, escalade mes jambes et menace de me frigorifier.

24.

À l'hôpital, on m'appelle le miraculé.

Une patrouille de police m'a découvert gisant sur le bas-côté de la route. J'avais perdu beaucoup de sang. Les urgentistes ont relevé plusieurs blessures sérieuses et un rein sévèrement touché. Je suis resté six heures au bloc opératoire, avec un cœur qui lâchait.

Après deux semaines de coma, je suis revenu à la vie.

Panchito se tenait à mon chevet. C'est lui qui a averti l'infirmière lorsque j'ai rouvert les yeux. Les premiers jours de ma résurrection, j'ai eu du mal à identifier les visages floutés penchés sur moi. Je les entendais sans saisir ce qu'ils baragouinaient. La lumière me torturait ; j'avais constamment froid, le moindre mouvement m'électrocutait.

Il paraît que j'ai attenté à ma vie le deuxième jour de mon réveil.

Je me souviens seulement que je ne supportais pas les tubes ni les appareils auxquels j'étais branché.

Serena avait accouru la première. Je ne l'avais pas reconnue tout de suite tant l'inquiétude la défigurait. Ensuite, mon ex-épouse, Elena, et ma fille. Cette dernière s'était jetée sur moi en pleurant, déclenchant mille douleurs à travers mon corps recouvert de pansements.

À peine ai-je commencé à recouvrer un soupçon de lucidité que la police est venue m'interroger. Je lui ai déclaré qu'un inconnu m'avait poignardé dans le noir, que c'était sans doute le tueur en série qui s'attaquait aux noctambules isolés. Le policier m'a certifié que mon agresseur n'avait rien à voir avec le « détraqué » en question.

— Ce n'est pas le même procédé, m'a-t-il expliqué. Les autres victimes ont été achevées à coups de pierre... Vous êtes sûr que votre agresseur était un homme ?

— Et comment, mentis-je. Il me dépassait de deux têtes.

— Donc, il ne s'agit pas de la même personne. Les traces d'ADN relevées sur les lieux des autres agressions sont formelles : notre tueur en série est une femme.

Mon cœur a failli me traverser la poitrine.

— Vous l'avez arrêtée ?

— Ça ne saurait tarder.

Le médecin a dû intervenir pour interrompre l'entretien car je me sentais très mal.

Je suis resté trois semaines à l'hôpital avant d'être transféré dans un centre de rééducation.

Mon bras gauche réagissait difficilement; parfois, dans mes accès de colère, je bégayais lorsque je ne perdais pas temporairement l'usage de la parole. Ma fille Isabel me rendait visite un soir sur deux. Sa mère, une fois par hasard. Mon fils Ricardo était injoignable; personne ne savait où sa secte l'avait conduit.

Je poursuis ma convalescence chez Serena. Mes neveux m'ont cédé leur chambre. Ma famille est aux petits soins pour moi. Une infirmière et un rééducateur viennent tous les lundis vérifier si je récupère bien.

Je retrouve le monde exactement là où je l'avais laissé, sauf qu'il ne m'inspire plus que vertige et nausée. Mes sommeils sont pleins d'horreur, mes éveils, de fureur; il m'arrive souvent de perdre connaissance.

Je ne sais où donner de la tête ni quoi faire de mes jours.

Le matin, on m'apporte le journal. Aucune information probante sur la tueuse en série. L'enquête crapahute sur des pistes improbables. Au bout d'un certain temps, on cesse d'en parler.

Le dimanche, Félix me ramène ma fille de Regla. Ces rendez-vous avec Isabel sont parmi les rares moments au cours desquels je me réconcilie avec la vie. Elle me prend par la main et me traîne le long de la baie, m'éloignant ainsi de mes noires pensées. Elle me raconte ses journées, ses amies,

ses excursions, me parle de ses projets – elle veut
devenir hôtesse de l'air pour voyager et découvrir
d'autres pays –, me confie ses petits secrets et ses
regrets de s'être mal comportée avec moi le jour
où je suis allé la voir chez sa mère. Je lui avoue
qu'elle demeure mon colibri à moi et que jamais je
ne cesserai de l'aimer. Lorsque mes jambes commencent à me lâcher, nous prenons, ma fille et
moi, place à l'ombre d'un arbre et nous restons des
heures à papoter, heureux d'être ensemble et enfin
réunis. Quelquefois, au gré de nos flâneries, nous
passons à côté du tram vert, et là, un malaise altère
notre promenade, m'obligeant à rentrer à la maison
sur-le-champ.

À maintes reprises, j'ai prié le délégué de quartier de signaler aux autorités locales cette épave
qui ajoute à la déréliction ambiante une touche
assassine. Le délégué m'a promis de faire son possible pour l'enlever, mais le tram est toujours là où
la panne l'avait cloué, pareil à un attrape-mouches
sur lequel viennent se piéger les souvenirs.

Hormis avec ma fille, je ne parle pas beaucoup.
Je préfère me cloîtrer dans ma chambre. La nuit, il
m'arrive de rêver de Mayensi, et ça me rend plus
triste encore. Lorsque l'ennui me livre en pâture à
la mélancolie, je vais chez Panchito tempérer mes
hantises.

Alonso m'a rendu visite. Il a tenu à me rencontrer seul, pour me remercier d'avoir caché à la
police la maison qu'il m'avait louée à Santa Fe et
pour me restituer les affaires que j'avais laissées

là-bas. Dans un grand sac, j'ai trouvé, entremêlés, les vêtements que j'avais achetés à Mayensi et mes costumes de scène.

Le lendemain, Serena m'a remis un bout de papier.

— J'ai découvert ça dans la poche intérieure de ta veste.

Il s'agit du poème que Mayensi avait écrit pour moi : «Don Fuego». Cela m'a remué de fond en comble. C'était comme si on m'avait poignardé une seconde fois. Mes cicatrices se sont remises à me tirailler. Dans ma tête, un ouragan de lumière et d'obscurité ululait. Serena a pensé que j'étais en train de faire un infarctus. Appelé en urgence, le médecin m'a administré un sédatif. Mes neveux se sont relayés à mon chevet jusqu'aux aurores.

Les jours d'après, impossible de rester seul dans la chambre. Funambule fébrile au-dessus d'un volcan, j'attends que la nuit se retire pour ouvrir la fenêtre. Dès l'aube, je sors errer au gré de mes frayeurs. Le tintamarre des rues ravive mes migraines. J'ai beau arpenter les trottoirs, je n'ai qu'à lever la tête pour m'apercevoir que je crapahute sur place. Le soir, lorsque l'obscurité brouille tout autour de moi, je rentre me terrer au fond de ma chambre, le cou enfoncé dans les épaules comme si le plafond menaçait de me tomber dessus et, sans bouger, la respiration coupée, j'attends, attends, attends sans savoir quoi au juste, certain que si cette chose qui m'échappe venait à se présenter à moi, je ne la reconnaîtrais pas.

Le matin, je me lève la peur au ventre. Un coup d'œil par la fenêtre et je retrouve les épreuves de la veille intactes, solidement campées sur leurs jarrets d'ogresses. Il faut que je m'en aille, que je coure ce risque pour me prouver que je suis capable de claquer la porte derrière moi. Dehors, les épreuves me narguent. Elles connaissent tous mes itinéraires, je connais tous leurs traquenards ; plutôt me perdre à jamais que m'attarder une minute de plus dans ma chambre. Mais où aller semer l'ombre de Mayensi, l'odeur du sang qui revient polluer mon être, l'horreur de cette nuit où le rêve s'est mué en cauchemar ? Aucun endroit n'est un abri pour celui qui fuit le bruit de ses pas.

Les mois passent sans m'apporter d'apaisement. J'ai l'impression d'être un esprit frappeur apprivoisé. Quelquefois, je me dis que j'aurais mieux fait de mourir. Les rues blafardes de Casa Blanca, les gens qui se regardent sans se voir, le marasme dans lequel se dissout La Havane tel un cadavre compromettant qu'on cherche à faire disparaître dans un bain d'acide – tout me révulse, me démaille, m'anéantit. Je ne sais plus quoi retenir ni quoi ignorer. J'admets que je suis un miraculé, cependant le naufrage qui s'est ensuivi relègue chaque chose au rang des soucis ordinaires. Je dérive dans un monde parallèle. La Havane est devenue mon cimetière où, spectre désorienté, je cherche en vain ma fosse. Toutes les tombes sont occupées, et la mienne est introuvable.

— Oublie-la, finit par m'apostropher Panchito un soir de grand silence.

— Que me resterait-il si je l'oubliais ?

— Ta famille, tes amis, tes chansons.

— Ça ne comblerait pas le vide qui est en moi.

— Elle ne t'a causé que des ennuis.

— Ses ennuis me manquent.

Il gonfle les joues.

— Je te plains, mon vieux. Tu ne peux pas imaginer combien je te plains.

— S'il te plaît, Panchito. Je suis très fatigué.

— Oui, mais tu n'es pas mort.

— Qu'en sais-tu ?

— Arrête de jouer au martyr. Cette profiteuse n'était pas faite pour toi. Ce n'était qu'une allumeuse qui adorait voir les abrutis se rentrer dans le lard pour elle.

— Elle n'était pas avec moi lorsque j'ai été agressé.

— Ça ne m'étonne pas. Si ça se trouve, c'est elle qui a chargé ton agresseur de la débarrasser de toi avant de partir avec lui.

— Mayensi était heureuse avec moi.

— Sans blague.

— Tu ne peux pas comprendre, toi.

— Et pourquoi donc ?

— Parce que tu as renoncé à tout.

— Tu n'as que ça à la bouche. « Tu as renoncé à tout », me singe-t-il. Trouve une autre esquive. Et puis, qu'est-ce que t'en sais, toi qui te cherches partout sans jamais te rattraper ? Si j'ai renoncé à tout, c'est pour ne plus être l'otage de ce qui me dépasse, et si j'ai renoncé à Dieu, c'est pour vivre ma vie à moi. Et je suis bien comme je suis. Je ne pleure personne, ni les amours improbables ni le chagrin qui va avec. Tout idéaliste serait prêt à mourir sur-le-champ pour pouvoir effleurer du bout des doigts ce que j'ai vécu. Pendant que je planais, j'étais sur le point de ne plus savoir marcher parmi les hommes. C'est pour cette raison que je suis redescendu sur terre. Alors, reviens sur terre et marche dans tes pas, de cette façon au moins...

— Au moins quoi?... Même si tu me prouvais par a plus b que j'ai tort, ça ne me ferait pas changer d'avis. J'aime! Est-ce que ça te dit encore quelque chose?

— Et toi, tu peux me dire ce que cette garce fabrique à l'heure qu'il est?

— Je suis certain qu'elle m'a attendu à la maison. Sans nouvelles de moi, elle a dû penser que j'avais rompu avec elle et elle est partie... Et puis, tu n'as pas le droit de la traiter de garce. Tu ne la connais pas.

— C'est une salope, persiste-t-il. Une sangsue et une belle saloperie d'allumeuse.

Sa grimace chargée de mépris me brise le cœur.

— Si c'est ta façon de me chasser de chez toi, lui dis-je, il y en a de plus simples. Mayensi m'aimait, elle ne trichait pas avec moi.

Je suis conscient que je suis en train de mentir, pourtant s'il existe une énormité à laquelle j'adhère corps et âme, c'est bien ce mensonge-là.

À bout, devenu insomniaque la nuit et somnambule le jour, je décide de crever l'abcès, de partir à la recherche de Mayensi.

J'ai annoncé à Serena que j'allais m'absenter pour quelques jours. Elle m'a demandé si Javier m'avait contrarié. Je l'ai rassurée en lui expliquant qu'un groupe de musiciens à Santa Clara cherchait un chanteur. Elle ne m'a pas cru une seconde, mais elle a acquiescé en me suppliant de lui téléphoner régulièrement afin qu'elle ne se fasse pas de mauvais sang.

J'ai entassé quelques affaires dans un cabas et je me suis rendu à la gare. Le tortillard s'arrêtait parfois en rase campagne à cause d'un nombre incalculable de pannes. J'ai été contraint de poursuivre ma route en autocar jusqu'à Trinidad où j'ai fait une petite escale afin de me recueillir sur la tombe de mes parents.

Le gardien du cimetière est un brave vieillard au regard délavé, famélique à fendre l'âme. Il s'est collé à mon ombre dès que j'ai franchi le portail. Il n'était pas méfiant, mais d'une curiosité envahissante. Je me suis tourné plusieurs fois vers lui pour qu'il me laisse tranquille ; il s'est contenté de me gratifier d'un sourire bienveillant en réduisant de quelques mètres l'espace qui nous séparait.

— Vous venez d'où ?

— De La Havane.

— Vingt ans que je n'ai pas mis les pieds là-bas. C'est vrai qu'on va restaurer le Capitole ?

— Il paraît.

Je m'arrête devant la tombe de mes parents. Le gardien se plante à côté de moi, les mains derrière le dos, hoche une tête compatissante et me confie :

— Ça fait longtemps que plus personne ne fleurit ces deux tombes. Avant, une vieille femme s'amenait. Elle arrachait les mauvaises herbes, priait une petite heure avant de s'éclipser. Je ne l'ai pas revue depuis des années... Vous connaissez les Jonava ?

— Ce sont mes parents.

Il accuse le choc.

— Non ?

— Si.

— Vous êtes le fils de la Sirène rousse ?

— Oui.

Il repousse sa casquette chiffonnée sur son crâne, éberlué.

— Waouh ! Le fils de la Sirène en chair et en os, là, devant moi. Ça me fait quelque chose, dis donc. Ça remonte à une éternité. Waouh ! Si je m'attendais à ça...

— Tu as connu ma mère ?

— Et comment ! Tout Trinidad la connaissait. Je bossais dans le cabaret où elle chantait dans les années 1940. Elle avait une de ces voix. Et puis, quelle beauté ! Nos habitués ne passaient pas pour des anges, pourtant, quand elle montait sur scène, les brutes rabattaient leurs manches pour cacher leurs tatouages de taulards et s'arrangeaient pour se tenir à carreau. Y en avait même qui rappliquaient la cravate en évidence, alors qu'ils avaient des trous dans leurs chaussures. C'était une sacrée époque. On s'amusait comme des fous... La Sirène! Purée, je suis vachement ému. Je n'ai pas la larme facile, mais là, je chialerais bien un bon coup...

Moi, je voudrais juste me recueillir deux minutes sur la tombe de mes chers disparus, mais impossible de faire taire le gardien. De toute évidence, il avait besoin de parler à quelqu'un. Doté d'une mémoire phénoménale, il me récite par cœur le nom d'un grand nombre de locataires du cimetière, me montre les tombes que l'on honore en permanence et celles que personne ne visite. Ensuite, il me raconte sa vie, son veuvage précoce, sa grande solitude, et m'avoue que certaines nuits, quand l'orage tonne dans le noir et que les éclairs se déchaînent, il lui arrive d'entendre des voix. Je crois que le mutisme des morts a déréglé une partie de son cerveau.

Il se met à pleuvoir.

Le gardien me propose de passer la nuit chez lui, dans la bicoque à l'entrée du cimetière. J'accepte volontiers. Je n'ai pas beaucoup d'argent sur moi et j'ignore combien de temps va prendre mon enquête.

Nous grignotons un semblant de repas en remuant les souvenirs par pelletées et en comptant sur nos doigts les déconvenues qui ont jalonné nos vies, puis, après avoir vidé nos sacs et une bouteille de rhum, nous nous assoupissons, lui blotti contre un chat aveugle et moi face au mur.

Un routier consent à me prendre à bord de son camion à la sortie de Trinidad. C'est un gros gaillard rougeaud, avec une face obtuse. Il ne m'adresse pas un mot durant le trajet. On s'arrête pour faire le plein et manger un morceau dans un troquet. Je veux lui payer son sandwich, il me rétorque que lorsqu'il rend service, c'est pour le bon Dieu qu'il le fait. Je le trouve presque sympathique.

Le routier m'a déposé à l'entrée de Camagüey. Je crois qu'il ne m'a pas entendu le remercier.

J'ai fait du stop jusqu'à Bayamo, tantôt dans une voiture, tantôt à l'arrière d'une camionnette. Un ambulancier m'a ramassé sur un chemin de traverse, puis un tracteur m'a esquinté les reins sur les nids-de-poule. J'ai pris une chambre dans un hôtel miteux aux parois si minces qu'on aurait entendu son voisin déglutir. Je n'ai pas réussi à fermer l'œil. Assis dans mon lit, j'ai attendu le lever du jour en me demandant si je n'étais pas en train de me faire violence inutilement.

Très tôt le matin, j'ai repris mon expédition.

Les chauffeurs de taxi, fatigués d'être sur la jante, ont fixé la barre très haut. Pour une course, ils réclament la lune. Je ne sais même pas, des villages de pêcheurs, lequel est le bon. Il y en a une dizaine dans la région. Avant la tombée de la nuit, j'en ai visité la moitié. Personne n'a reconnu Mayensi sur l'unique photo que j'ai d'elle – celle que j'avais prise à Santa Fe, alors qu'elle sortait de l'eau.

J'ai dormi chez le chauffeur de taxi. Pour une fois qu'il a un client à plein temps, il ne va pas le laisser filer.

Le deuxième jour, je commence à désespérer. Vers le soir, j'aperçois une ruine sur la jetée, une muraille indéfinissable bouffée par la végétation. Mayensi m'avait parlé d'un vieux fortin espagnol où elle se retirait pour lire. La piste qui y mène décourage le chauffeur à cause de l'état désastreux des cardans de son tacot. J'escalade le talus à pied. Un paysan m'intercepte en haut de la colline. Je lui montre la photo de Mayensi. Il fait non de la tête.

— Ce n'est pas une fille d'ici, atteste-t-il. Vous n'avez pas le droit de traîner dans les parages. Vous êtes sur un terrain militaire, un polygone de tir, et le commandant n'est pas commode.

— Je cherche un village de pêcheurs avec un fortin espagnol.

Le paysan réfléchit, puis il m'indique une vague direction :

— Il y a un mirador en ruine qui a l'air d'un autre âge, quarante kilomètres plus bas. C'est d'ailleurs le seul dans le secteur, mais j'ignore s'il est espagnol.

Le chauffeur refuse de me conduire à l'endroit indiqué. Il tapote du doigt sur sa montre.

— On ne dérange pas les gens à cette heure.

Le lendemain, nous sommes partis vers midi à cause d'un problème mécanique. Le chauffeur n'avait pas de quoi payer le garagiste, j'ai dû mettre la main à la poche, pressé d'en finir.

Quel soulagement lorsque nous avons atteint le village en question. Je l'ai reconnu d'emblée. Tel que Mayensi me l'avait décrit. Une vingtaine de baraques vermoulues éparpillées ici et là, un semblant de port, une allée en terre battue en guise d'avenue, une boutique borgne sur le flanc, et c'est tout. Des mioches en caleçon barbotent dans un filet d'eau, quelques chiens efflanqués somnolent au pied des arbres, des femmes papotent sur le pas de leur porte, et plus rien après. Mayensi n'exagérait pas : en ces lieux reniés, on ne vit pas, on agonise.

Je prie le chauffeur de taxi de m'attendre sur le bord du chemin et me dirige vers la cabane la plus proche. Une grand-mère étale du linge dans une courette, deux bambins agrippés à ses jupons. Elle identifie aussitôt la fille sur la photo. Du menton, elle m'oriente sur un taudis en retrait derrière lequel on aperçoit les vestiges d'un mirador.

Une femme est assise sur un tabouret, à l'ombre d'un parasol haillonneux. Un téléphone portable contre l'oreille, elle hoche la tête en tétant un cigare. Le teint caramel, les cheveux cachés par un foulard, presque obèse, elle doit avoir autour de la cinquantaine.

Elle raccroche, pose son téléphone dans le creux de sa robe, me fait face.

— Vous êtes de la police ?

Je comprends qu'à l'autre bout du fil, son interlocuteur lui a signalé mon passage.

— Pas forcément.

— Un agent des Services?

— Je ne suis pas venu vous importuner, madame.

— Des ennuis, j'en ai eu ma dose. Qu'est-ce que vous voulez?

— Je cherche Mayensi.

La dame émet un rire bref.

— Elle se faisait appeler Mayensi?

— Ce n'est pas son vrai prénom?

— Il n'y a rien de vrai chez cette fille.

— C'est bien ici qu'elle habite?

Elle me considère froidement.

— J'ai fait appel à un prêtre pour chasser son esprit de ma maison.

— Vous êtes qui pour elle?

— Celle qui aurait dû l'étouffer entre ses cuisses pendant qu'elle la mettait au monde.

J'ai soudain un doute. La vieille dame de tout à l'heure a-t-elle bien regardé la photo? La femme qui est devant moi n'a pas la moindre ressemblance avec la fille que j'ai aimée.

Je sors la photo de Mayensi.

— Parlons-nous de la même personne?

— On ne dirait pas, mais je suis bien sa mère.

— Son frère est-il rentré à la maison?

— Parce qu'elle a un frère aussi?

Un petit attroupement se forme sur la place du village. Les gamins sont sortis de l'eau pour nous observer.

— Ce n'est pas tous les jours qu'on a de la visite par ici, me rassure la dame. Tout étranger qui débarque chez nous suscite la curiosité. Mais on n'est pas méchants. Allons à l'intérieur, monsieur l'agent.

Elle me précède dans sa demeure aux murs grossièrement cimentés et sans une couche de peinture. Le plafond bas est auréolé de moisissure. Une ampoule crasseuse pendouille au bout d'une paire de fils entortillés. Le salon tiendrait dans un mouchoir. Pâle copie d'une statuette aztèque, une figurine en argile bardée de gris-gris officie dans un recoin, les seins en sautoir, la bouche monstrueuse. Les rares meubles qui tempèrent la laideur des lieux doivent remonter à l'époque des conquistadors. Quelques coquillages trônent un peu partout, au milieu des pacotilles. Dans un cadre posé à côté de la figurine, un homme au regard triste sourit à l'objectif. Il est très beau, le menton volontaire ; ses cheveux blonds accentuent le bleu minéral de ses yeux.

— C'est Armando. Je suis tombée dans ses bras comme un fruit, me confie la femme en me désignant un fauteuil usé jusqu'aux ressorts. N'est-ce pas qu'il est irrésistible ?

— Il est captivant, reconnais-je.

— Toutes les filles lui couraient après, au lycée. Il a choisi celle qui se contentait de rêver de lui. Je n'étais pas négligeable à mes dix-huit ans, mais les autres étudiantes étaient blanches et s'estimaient prioritaires par rapport à moi, la progéniture d'un ancien esclave.

— C'est le père de Mayensi ?

— Candela, elle s'appelait Candela... C'est son père... Un café ?

— Non, merci. Je veux juste savoir où elle est.

Elle s'assoit sur une chaise, rallume son cigare.

— Elle ne nous a causé que des soucis.

Elle contemple un rond de fumée en train de flotter en s'élargissant avant d'ajouter :

— Je me sens en paix maintenant qu'elle n'est plus là.

Sa bouche se pince quand elle poursuit d'une voix lasse en faisant tourner son cigare entre ses doigts :

— C'est vrai, ma vie est gâchée, mais j'ai cessé de prendre sur moi. Candela était une fille pénible. Elle n'avait d'yeux que pour son père. Ils s'aimaient trop, tous les deux, et ça devait mal finir.

Elle marque une pause avant d'ajouter :

— Ce n'est pas que j'étais jalouse, j'étais malade de n'être là que pour préparer leurs repas et laver leur linge. Ça ne leur coûtait pas grand-chose de s'apercevoir que je faisais partie de la famille, moi aussi.

Probablement gênée par ce qu'elle vient de dire, elle observe cette fois un long silence, se frotte les talons l'un contre l'autre pour se défaire de ses sandales, dévoilant ainsi la multitude de stries qui lui fendille la plante des pieds. Elle se penche pour se gratter le mollet, revient vers moi, semble se demander si elle doit crever l'abcès ou bien se contenter de répondre à mes questions sans trop s'étendre sur le sujet. Mais la souffrance qui la ravage de l'intérieur l'emporte sur la réserve. Elle tape sur son cigare pour en chasser la cendre, renifle fortement et décide de tout déballer :

— Lorsque Candela sortait du collège, elle se rendait directement sur le port pour attendre le retour des pêcheurs. Elle accompagnait son père chez le préposé à la pêche afin de lui remettre le poisson de la journée. Des fois, ils rentraient tard dans la nuit. Je les entendais rire dans le noir à des lieues à la ronde... Il ne faut pas croire que je n'étais pas heureuse. Armando m'aimait. Il ne m'avait jamais manqué de respect. Mais Candela se l'accaparait, n'en laissant pas une miette aux autres. Personne, en dehors de son père, ne comptait à ses yeux. C'est à peine si elle me remarquait, moi, sa mère. Ce n'était pas normal. Trop d'amour fragilise. J'avais peur que les choses tournent mal. Et ce que je redoutais a fini par arriver... Candela avait quatorze ans quand le malheur s'est abattu. Pour elle, ce fut la fin du monde.

— Le malheur ?

Elle souffle la fumée vers le plafond, se perd dans ses pensées, puis revient de nouveau vers moi.

— La barque d'Armando a chaviré au large. On a retrouvé l'épave trois jours plus tard, et le corps de Miguel, son supplétif, sur une plage à une vingtaine de kilomètres d'ici. Mais aucune trace d'Armando. Candela est devenue folle. Elle séchait

les cours et passait ses journées à guetter le retour
de son père sur la plage. Parfois, elle se jetait
à l'eau, et on me la ramenait sur un brancard.
Candela ne voulait rien savoir. Pour elle, son père
était vivant quelque part sur une île. Je subissais
l'enfer avec elle. J'en étais arrivée à souhaiter sa
mort, ou la mienne. Elle me tenait pour responsable du naufrage de son père. Elle m'en voulait
comme ce n'est pas possible.

— Pourquoi ?

— La veille du drame, on a eu une prise de bec,
Armando et moi. Rien de bien méchant. On n'arrivait pas à joindre les deux bouts, et Armando
rendait à l'État la totalité de ce qu'il ramenait de
la mer. Pas un poisson ne manquait à l'appel. Je
lui en voulais de ne pas faire comme les autres
pêcheurs qui revendent au marché noir une partie
de leur prise afin d'améliorer leur ordinaire. Quel
mal y a-t-il à se faire un peu d'argent ?

— Aucun.

— Vivre ne se résume pas à se nourrir de porc
et de riz.

— Rien ne résume la vie.

— Je ne réclamais pas la lune. Pour Armando,
ce sont des choses qui ne se font pas. Il était trop
honnête pour se rendre compte de notre misère. Je
m'étais laissé un peu emporter, et Candela s'était
tout de suite rangée du côté de son père... Le lendemain, lorsque la nouvelle du naufrage s'est
répandue dans le village, Candela m'a dit que si
son père ne rentrait pas, elle me maudirait jusqu'à

la fin de ses jours. Et elle a tenu parole. Il ne se passait pas un jour sans qu'elle me traite de tricheuse et de sorcière. Elle est allée jusqu'à rapporter à la police les propos que j'avais tenus à son père la veille du drame...

Elle serre la lèvre pour réprimer un sanglot. Sa voix vacille.

— Je ne suis pas douée pour la pêche et il n'y a pas de travail par ici. J'avais besoin d'un mari. Quand Pablito s'est présenté, j'ai dit oui les yeux fermés. Pour Candela, c'était le pire des sacrilèges, le crime de trop. Elle a fugué pour protester contre «l'affront» que je faisais à son père. La police l'a retrouvée dans un état tel qu'on a dû l'interner. Cela n'a fait que la rendre plus folle encore. Elle détestait le monde entier. Mon deuxième mari a fait l'impossible pour gagner sa confiance. Sans succès. Candela n'avait qu'une idée fixe : me gâcher l'existence.

Elle s'aperçoit que son cigare s'est éteint, le pose dans un cendrier plein comme une urne, porte un doigt à sa bouche et sombre de nouveau dans ses pensées. Dans le petit salon, je n'entends que le bourdonnement des moucherons qui entrent et sortent par la fenêtre grande ouverte.

La dame émerge de son apnée, les yeux gonflés de larmes.

— Elle a tenu parole, une fois de plus. Elle a fait voler en éclats ce qu'il me restait de vie. Le jour de mes quarante-huit ans, elle m'a réservé un drôle de cadeau d'anniversaire. Le diable lui-même n'y aurait pas pensé. J'étais en train de préparer un gâteau pour le soir quand la police est venue arrêter Pablito. Candela l'accusait de l'avoir violée à maintes reprises. Jamais Pablito n'oserait porter la main sur une femme autre que la sienne. C'est un morceau de sucre, un pêcheur voué à son métier, un mari humble et affectueux. Au village, personne ne croit à cette histoire de viol, personne. Mais la police est intraitable sur le sujet. Candela mentait comme un ange. Aucune comédienne ne lui arriverait à la cheville. Pablito moisit en prison depuis deux ans. Il m'a expliqué qu'il ne tiendrait pas longtemps. La dernière fois que je suis allée le voir, il était maigre comme un clou et il commençait à perdre ses cheveux et ses dents.

Elle se prend la figure à deux mains et éclate en sanglots.

Je ne trouve rien à lui dire pour la consoler. Je suis bouleversé par la version de l'histoire qu'elle vient de me fournir, en même temps je refuse de la croire. Pour moi, Mayensi n'est pas Candela. Elles sont aux antipodes l'une de l'autre. La première, je l'ai adorée; la seconde, je m'interdis de la connaître.

— Où est-elle maintenant?

— Elle est morte.

Son cri me transperce de part et d'autre.

— J'ai consulté trois prêtres, tous les trois ont eu la même révélation : Candela submergée d'eau. Les prêtres ne se trompent pas. Ma propre liseuse des signes me l'a confirmé : Candela est morte noyée. C'est d'ailleurs ainsi qu'elle a toujours voulu finir : noyée comme son père.

Elle se lève. Reprend son cigare, le rallume.

— Je ne vous aime pas, monsieur l'agent. Votre justice a condamné à tort un innocent.

— J'en suis désolé, madame.

— Ça ne minimise pas le désastre.

— La loi des hommes est ainsi faite. Si nos semblables nous déçoivent, tournons-nous vers Dieu.

— Dieu n'habite nulle part sur cette île, monsieur l'agent.

Son chagrin rendrait dérisoire la plus sincère des compassions.

— Puis-je jeter un coup d'œil dans la chambre de votre fille ?

— Qui vous en empêcherait ? L'État est souverain, n'est-ce pas ?

Elle me conduit dans une minuscule chambre où un lit côtoie une petite table en Formica. À part ces deux meubles, il n'y a rien. Les vitres de la fenêtre sont opacifiées avec de la peinture blanche. Des bouts de scotch ainsi que des trous de punaises racontent les affiches qui ont couvert les parois et qui ne sont plus là. Le réduit est d'une tristesse noire. Sa nudité frappe le cœur avant l'esprit. On dirait qu'un sortilège lui a confisqué son âme.

Sur le mur contre lequel s'appuie la table, on a écrit au crayon gras :

Éblouis par nos propres brûlures
Nous nous proclamons lumières
Et feux ardents
Tandis que nous nous immolons
Dans l'autodafé de nos serments.

Manuel B. Harvas

— Ce satané poète lui a pourri la tête, peste la mère. C'est lui qu'on devrait enfermer, pas Pablito.

Elle me montre la pièce pour me prendre à témoin.

— C'est une chambre, ça, ou un cachot?

Je ne dis rien.

Elle ajoute :

— Elle a emporté avec elle le peu qu'elle possédait : quelques livres, son journal intime et la photo de son père.

Je quitte le village dans un état second.

25.

Quatre ans se sont écoulés.

Ma fille Isabel est devenue une très belle jeune fille. Elle a un petit ami, mignon et doux comme une peluche. Ils viennent me voir le dimanche et les jours fériés. Isabel ne compte pas poursuivre ses études à l'université. À quoi bon décrocher un diplôme pour gagner moins qu'un vendeur à la sauvette, argue-t-elle. Son rêve de devenir hôtesse de l'air s'est envolé, lui aussi. Elle veut se marier et habiter chez ses beaux-parents à Miami.

Mon fils Ricardo a rompu avec sa secte. Il s'est assagi et reconverti en cuisinier dans un restaurant coté, en ville. Nous nous sommes réconciliés.

Je vis toujours chez ma sœur Serena. Javier a rendu l'âme l'an dernier. Il s'est endormi après le déjeuner pour ne plus se réveiller. Beaucoup de ses anciens camarades de régiment ont assisté à ses funérailles. Nous l'avons enterré dans son village natal, un hameau du côté de Varadero, selon ses dernières volontés, avec ses médailles et

sa prothèse. Deux de mes neveux ont rejoint
l'armée. Quant à García, il a emménagé chez une
prostituée de vingt ans son aînée. Devenu soûlard,
il commence à avoir des embrouilles avec la
police. Je crois que la mort de son père l'a sévèrement affecté. Chus a épousé le gendre du Délégué
de Casa Blanca. Elle habite à deux pas de sa mère
et attend déjà un enfant. Son mari est un brave
garçon. Il est régisseur ou quelque chose dans ce
genre. Pilar, son mari et leur marmot disposent
désormais d'une chambre à part au rez-de-chaussée;
moi, j'occupe la pièce d'en haut avec mon fils, et
Lourdes est rentrée chez elle dans la vallée de
l'Escambray.

La vie reprend ses droits sur les êtres et les
choses. Les naissances se substituent aux décès;
certaines familles s'agrandissent, d'autres s'effi-
lochent, mais Casa Blanca demeure égale à
elle-même, avec ses chahuts d'enfants pendant la
matinée et, l'après-midi, ses siestes post-digestives
aussi sacrées qu'un rite vaudou.

De mon côté, je continue de courir le cachet.
Certes, je ne déchaîne plus les foules comme
avant, cependant, au hasard de mes promenades
dans la vieille Havane, il m'arrive d'être salué par
un ou deux touristes. Il faut reconnaître que les
choses ont bien changé. Lorsque je monte sur
scène, je n'ai pas le sentiment de conquérir un
public, mais de m'exposer à des juges. J'ai le trac,
ce terrifiant vertige du fiasco qui vous nargue à
partir des coulisses; parfois, ma voix déraille et je

frise le drame. Mayensi a laissé des séquelles. Bien qu'elle me hante de moins en moins, son fantôme n'est jamais loin, embusqué derrière un flash-back.

À soixante-quatre ans, j'ose croire que c'est l'âge qui me rend fébrile au beau milieu d'une fête, moi qui aurais mis le feu jusque dans une chambre froide.

Mon ami Panchito a adopté un chiot qu'il a baptisé Amadeus. C'est moi qui le lui ai offert pour son anniversaire. Panchito a apprécié le geste sur la forme, pas sur le fond. Il s'est dit trop vieux pour élever qui que ce soit, en même temps, il a reconnu que la lutte contre la solitude méritait bien quelques sacrifices. Le petit animal a immédiatement levé ses réticences. Amadeus est une formidable bouffée d'oxygène, une joie de vivre totale ; il adore lécher la figure de son tuteur, lui grimper sur les genoux et se lover contre lui, la nuit. Pour prouver qu'il veille au grain malgré son bas âge, il jappe avec un zèle tonitruant en montrant ses crocs chaque fois qu'un badaud passe devant la grille.

Un lundi soir, pendant que je flânais sur la Plaza José Martí, une voiture a freiné sec devant moi.

— Ça fait des semaines que je cherche à te joindre, m'a lancé le conducteur, un Goliath au crâne tondu.

C'est Manolo, un saxophoniste hors pair que j'ai connu dans une vie antérieure. Il avait joué pour les plus grandes stars de Cuba avant d'être incarcéré pour coups et blessures sur agent dans l'exercice de ses fonctions, il y a une quinzaine d'années. Depuis, je l'avais perdu de vue.

— Je me suis rendu à maintes reprises à Regla demander après toi.

— Je ne réside plus là-bas.

— Peux-tu monter à bord ? J'ai à te parler.

Il m'a conduit dans un café rempli de vétérans agrippés à leurs verres vides, un œil dans les vapes, l'autre surfant douloureusement sur la croupe des serveuses qui vont et viennent, indolentes, pareilles aux soubresauts d'un vieux rêve révolu.

— Tu connais le groupe *Insurgentes* ?

— Bien sûr.

— Eh bien, j'en fais partie. Aujourd'hui, il est dirigé par Paco qui a ses entrées en haut lieu. Il a réussi à nous décrocher un contrat avec l'État qui a mis à notre disposition un autocar pour qu'on aille faire la fête dans les villages reculés et dans les plantations. C'est bien payé, en plus, nous sommes libres de nous produire où nous voulons. Nous avons les autorisations nécessaires, les bons pour le carburant et nos frais de déplacements nous sont remboursés à cent pour cent.

— Ça a un rapport avec moi ?

— C'est la raison pour laquelle je te cherchais. Notre chanteur est mort. J'ai pensé à toi pour le remplacer.

— Les autres sont d'accord ?

— Ils ont sauté au plafond quand j'ai suggéré ton nom.

C'est ainsi que j'ai été recruté par les *Insurgentes*.

Le groupe m'a séduit d'emblée. J'ai retrouvé quelques têtes familières, une ambiance bon enfant et un peu de mes repères. L'État nous a attribué un entrepôt désaffecté pour peaufiner notre répertoire. Nous n'avons pas de vis-à-vis et nous pouvons travailler jusque tard dans la nuit.

Nous sommes six instrumentistes, trois danseuses et moi. L'autocar, plus précisément un bus scolaire américain, est confié à Dynamo, un routier à la retraite.

Je connais de réputation la plupart des musiciens du groupe. En plus de Manolo, une force de la nature tout droit sortie des forges jupitériennes, il y a Vava, qui a mon âge, rondouillard et un tantinet porté sur la bouteille ; Adrian, le doyen, chenu, desséché et sage comme un chef indien ; Hector, un vétéran du Buena Vista ; Chucho qui dirigeait autrefois une fanfare militaire et Ivelin, le plus jeune, la quarantaine et une dégaine du tonnerre. Les trois danseuses ont en moyenne la trentaine, un corps magnifique et un déhanchement à défroquer un évêque. Elles se prénomment Lisa, Belinda et Noria, toutes bardées de diplômes universitaires. Paco est notre gérant.

Ma première tournée avec les *Insurgentes* a été un enchantement. Dix jours à ouvrir aux joies du monde les bourgades enclavées de Ciego de Ávila. Dix jours à tressauter sur les routes ravinées en riant aux larmes. Notre bus est une sorte d'arche

de Noé, toutes sortes d'anecdotes y sont embar-
quées. Les grivoiseries font rougir nos danseuses
qui, derrière leur air faussement offusqué, en
redemandent à cor et à cri. Belinda, une Noire au
caractère trempé, sait exactement comment inci-
ter Chucho à nous sortir ses histoires croustillantes
sur les tribulations sexuelles de la clique militaire,
les bordels de campagne et les déniaisements ratés
des jeunes recrues. Vava, lui, fait et refait l'inven-
taire de ses quatre cents coups de tombeur de ces
dames en les corsant chaque fois un peu plus.
À l'entendre, il conquerrait le cœur de la reine
d'Angleterre rien qu'en se lissant la moustache.
Mais le roi des bonimenteurs est, sans conteste,
Ivelin, notre benjamin. Il prend carrément ses fantasmes pour des faits d'armes ; chaque fois que
nous affichons une moue dubitative, il nous traite
de vieilles peaux de vache. «Normal, qu'il nous
crie, on ne peut pas prendre son pied lorsqu'on a
l'autre dans la tombe...» «On a peut-être un pied
dans la tombe, mais il nous reste l'autre pour te le
foutre au fion», lui rétorque Manolo. Et nos rires
reprennent le dessus sur le raffut de l'autocar.

À Cuba, on déroule rarement le tapis rouge,
mais on n'oublie pas le bouquet de fleurs. Notre
groupe est reçu partout comme une visite officielle
et Paco n'omet guère de le souligner. «L'État ne
vous néglige pas, répète-t-il à chaque escale. Il
vous apporte la fête jusque sous vos toits.» Bien
sûr, les autorités locales apprécient le geste de nos

dirigeants et le font savoir, eux aussi, à leurs administrés.

Les hameaux n'offrent pas le confort des grandes villes. Il n'y a pas d'hôtels, par endroits, pas de gargote où casser la croûte, mais nos hôtes y mettent du cœur. Nous passons la nuit dans des établissements scolaires, mangeons dans des réfectoires. Le soir, nous investissons des estrades de fortune échafaudées en urgence sur la place ou sur un terrain vague, et, à coups de renfort en groupes électrogènes et projecteurs empruntés à des entreprises, nous faisons danser les paysans jusqu'aux aurores.

Nous rentrons à La Havane fourbus, mais pressés de reprendre la route.

En dix mois, nous nous sommes produits dans une bonne vingtaine de bourgades et autant de plantations, de la province de Cienfuegos à celle de Las Tunas en passant par Nuevitas et Sancti Spíritus. J'ai adoré les excursions, les villages et les gens, les rigolades dans le bus et celles dans les dortoirs où nous sommes soumis à l'extinction des lumières. J'ai surtout renoué pleinement avec la musique que j'aime, entouré de virtuoses au bout du rouleau mais jamais au bout de leur générosité. Ces tournées aux allures d'expéditions terrasseraient n'importe quelle personne de notre âge, pourtant nous en sortons chaque fois rajeunis, heureux de contribuer à quelque chose qui nous ragaillardit car il n'est plus grand honneur que celui de semer la joie dans le cœur des gens et la vie là où elle fait grise mine. Voir les paysans, ces oubliés des dieux, redécouvrir la fête l'espace d'un soir est sans doute le plus gratifiant des privilèges. Les petites gens n'ont pas besoin d'exhiber des briquets pour cadencer nos chansons ; leurs yeux étincelants suffiraient à illuminer le ciel.

Un soir de mars, à l'entrepôt, tandis que les musiciens rangeaient leurs instruments, Vava s'est mis à improviser un morceau avec sa guitare. Son jeu nous a estomaqués.

— C'est de qui ? s'est exclamé Paco.

— De moi, a répondu simplement Vava.

— Waouh ! Il va falloir dénicher un parolier. Peux-tu le reprendre depuis le début ? C'est vraiment bien, dis donc.

Vava s'est exécuté, en mettant plus de verve cette fois. Et, sans m'en apercevoir, je me suis surpris à l'accompagner, d'abord avec des lalala, ensuite, les mots ont pris chair au rythme des notes, et ma voix a repoussé les murs de l'entrepôt, comme si, d'un coup, aucun espace ne suffisait à la contenir :

Quand il chante Don Fuego
Les dieux se mettent au repos
Et dans le silence aux abois
On n'entend que sa voix

— Ça tient, s'écrie Paco.

— Et comment, renchérit Manolo.

Sidérés, certains d'avoir touché quelque chose, les musiciens reprennent leurs instruments et viennent entourer Vava. De corrections en ajustements, nous réussissons à esquisser les contours d'une chanson qui s'annonce belle et forte. Nous avons travaillé jusqu'au matin. Paco m'a demandé si le texte était de moi. Je lui ai répondu que quelqu'un me l'avait dédié. Il m'a suggéré de le retoucher, j'ai refusé catégoriquement. Vava n'y a pas vu d'inconvénient, et tout le groupe a fini par l'accepter tel quel. Au bout de deux semaines de répétitions, Paco nous a jugés bons pour l'interpréter en public.

«Don Fuego» a eu un tel succès dans les bourgades que partout où nous nous produisons, les paysans le réclament à la fin du spectacle. Je suis sur un nuage.

En juin, Paco nous annonce la nouvelle que j'attendais depuis des décennies : la radio nationale accepte de nous enregistrer dans ses studios. J'en pleure de joie.

Le jour de la diffusion de «Don Fuego» sur les ondes, j'alerte Serena, le facteur, les voisins, les boutiquiers, les cafetiers, le Délégué, les jeunes et les vieux, et toutes les connaissances croisées sur mon chemin, puis je cours chez Panchito.

— J'ai une surprise pour toi, lui dis-je en tripotant sa radio cruellement muette.

— Les piles sont à plat.

Je fais le tour de Casa Blanca pour dénicher enfin des batteries fiables et je retourne hors d'haleine chez mon vieil ami.

La diffusion de *ma* chanson est prévue à quinze heures. Les yeux rivés sur le cadran de ma montre, je tâche de discipliner ma respiration.

— On va nous annoncer des élections libres ou la guerre ? s'impatiente Panchito.

— S'il te plaît, tais-toi et écoute. Encore un petit quart d'heure.

Quinze heures sonnent. Le reportage sur la construction d'une voie ferrée se poursuit. Défilent à l'antenne le chef du projet, l'initiateur du projet, le financier du projet. Les minutes se traînent. Les voix nasillardes s'attardent sur des détails sans intérêt, louent les décisions du Comité central, vantent l'abnégation des ouvriers qui, paraît-il, font des miracles de chantier en chantier. Seize heures, et toujours pas de chanson. À dix-sept heures, Panchito m'abandonne à mon sort et va promener son chien. Je suis hors de moi, à deux doigts de l'apoplexie. Je me sens ridicule, floué, trahi. À dix-huit heures, je jette l'éponge et rentre chez moi, le cœur pressé comme un citron amer.

Serena me voit arriver à travers la fenêtre de sa cuisine. Elle commence par m'adresser de grands signes avant de courir m'intercepter dans la rue. Son visage rutile de surexcitation. Derrière elle, Pilar et mon fils Ricardo se précipitent sur moi.

— C'était magnifique, me crient-ils à l'unisson. Nous avons adoré.

— Vous avez adoré quoi?

— Ta chanson, voyons.

— On l'a passée?

— Qu'est-ce que tu racontes? Tu as des trous de mémoire ou quoi? On l'a passée pile poil à quinze heures.

— J'ai écouté, mais il y avait un reportage.

— Tu es sûr que tu étais branché sur la bonne chaîne?

Effectivement, je m'étais trompé de chaîne. Cette fois, je suis fou furieux contre moi. Quel étourdi! Toujours à rater les plus beaux moments de ma vie.

Le même soir, alors que je rumine mon dépit dans ma chambre, Serena me crie du rez-de-chaussée de la rejoindre au plus vite. Je dégringole l'escalier d'une seule enjambée. Dans le salon, Pilar, Augusto, mon fils et ma sœur dansent, la radio à fond la caisse. Je manque tourner de l'œil en reconnaissant ma voix sur les ondes.

— Les auditeurs ont demandé à ce qu'on rediffuse ta chanson, m'informe Serena en m'attrapant par les hanches dans un pas de danse. Quel succès. Nous sommes très fiers de toi.

J'ai l'impression d'évoluer dans un monde enchanté.

Je ne me souviens pas de ce que j'ai fait, cette nuit-là.

«Don Fuego» s'est imposé comme le tube de l'été. La radio le diffuse tous les jours. Les messages de félicitations saturent la boîte de réception de mon téléphone portable. Nos tournées drainent de plus en plus de monde.

En faction derrière la fenêtre, je vois les cohortes de paysans converger vers la place et j'ai envie d'aller à leur rencontre pour les remercier, un à un, pour l'honneur qu'ils me font. Au beau milieu de la soirée, lorsque j'entonne « Don Fuego », la foule me reprend en chœur, et moi, empruntant aux stars cette perplexité feinte qui trahit leur bonheur dissimulé, je lui tends le micro et j'écoute les centaines de voix qui s'unissent à la mienne dans une communion quasi cosmique.

À Casa Blanca, les femmes m'arrêtent dans la rue, les mioches m'ovationnent et les jeunes filles se prennent en photo à mes côtés. Chaque matin me célèbre à sa manière et il m'arrive souvent de me pincer jusqu'au sang pour être sûr que je ne rêve pas.

Vers la fin septembre, nos tournées nous ont conduits dans la province de Matanzas. Nous avons chanté dans trois villages devant un millier de spectateurs. La veille de notre départ pour la Ciénaga de Zapata, Dynamo, notre conducteur, nous a proposé de faire un détour par un petit port sur la péninsule pour rendre visite à son oncle. La route n'est pas bonne sur la côte et nous avons subi une double crevaison à l'entrée de Playa Larga, un coin sauvage qui donne sur une mer d'un bleu limpide. Après avoir changé les pneus, nous avons pique-niqué à proximité d'un champ, puis nous avons repris la route. Et il s'est produit comme un flash. L'autocar traversait un marché lorsque j'ai cru *la* voir. Mon cœur a rué dans ma poitrine. J'ai couru à l'arrière pour regarder par le pare-brise et m'assurer que je n'hallucinais pas. Non, je n'hallucinais pas. C'était *elle*. J'ai reconnu sa longue chevelure rousse, la sveltesse de sa ligne, sa démarche... C'était Mayensi.

— Stop! ai-je hurlé au chauffeur. Stop, stop, stop!

Dynamo a donné un tel coup de frein que le bus s'est déporté sur le bas-côté. J'ai foncé sur la portière, sauté à terre et me suis élancé vers le marché. Mayensi s'était volatilisée. On aurait dit que la terre l'avait gobée. Les gens sur le marché me considéraient d'une drôle de façon. Je suis resté planté sous le soleil jusqu'à ce que Manolo vienne me chercher.

— Qu'est-ce qu'il y a, Juan?

— Rien, lui ai-je répondu en regagnant l'autocar.

— Tu m'as foutu la pétoche, me lance Dynamo. J'ai cru que j'avais renversé quelqu'un.

J'ai repris ma place, patraque, la tête sifflante. Autour de moi, les danseuses et le reste du groupe me dévisageaient comme s'ils me découvraient pour la première fois.

Nous avons répété dans la salle des fêtes municipale. Paco n'a pas arrêté de m'observer. À la fin, il s'est approché de moi et m'a demandé si ça allait. Je lui ai demandé pourquoi il me posait cette question. Il m'a emmené dans les lavabos et m'a présenté à mon reflet dans la glace.

— On dirait que tu sors d'une grève de la faim. Tu n'as plus une seule goutte de sang sous la peau. Si tu ne te sens pas en forme, on fait une pause.

— C'est juste un petit surmenage. Un bon gueuleton, et tout rentrera dans l'ordre.

Il m'a conseillé d'aller me reposer dans un bureau mis à notre disposition.

Il y a un canapé et des stores aux fenêtres. Une bière à la main, je me suis allongé sur le canapé et j'ai interrogé le plafond sans parvenir à m'assoupir. L'image fuyante entrevue au marché de Playa Larga occupe l'ensemble de mes pensées.

À la tombée de la nuit, Paco nous a conviés dans une gargote à la sortie de la ville. Le menu était copieux et la gnôle potable. Chucho s'est mis à dérouler les cocasseries de ses mésaventures extraconjugales et je me suis senti un peu mieux. Nous avons ri et bu comme des brutes jusqu'à l'arrivée du bus. Vava a failli se défigurer en tombant du marchepied tellement il était soûl. Paco s'est assis à côté de moi, à l'arrière de l'autocar. Mon silence l'inquiétait. Il m'a tapé sur la cuisse pour me réconforter.

— Ça va ?

J'ai opiné du chef.

La salle des fêtes est pleine à craquer. Des familles au complet ont fait le déplacement. Les marmots se chamaillent pour un oui ou pour un non, les mères tentent de calmer leurs nourrissons en les berçant ou en leur donnant le sein, les hommes s'interpellent dans la cohue et les retardataires cherchent désespérément une chaise libre. Lorsque les rideaux s'ouvrent sur notre orchestre, les gosiers se déchaînent en scandant «Don Fuego», «Don Fuego»... Paco me fait non de la tête. Le tube est prévu pour clôturer la soirée. Mais le public ne veut rien entendre. Il siffle la chanson d'ouverture, chahute la deuxième et commence à protester à la troisième. Vava demande le silence. La salle s'apaise. Dès les premières notes de guitare, les gorges se déploient, et garçons et filles se lèvent dans un mouvement d'ensemble synchronisé pour danser au rythme de «Don Fuego». Ma voix explose dans la clameur, la domine, accentuant le délire ambiant. Au troisième couplet, tandis que je dégouline de sueur, le vide sidéral revient flûter dans ma tête. Des flashes me mitraillent l'esprit. Je vois le tram vert, la silhouette sur la banquette arrière, le poulet que j'avais sacrifié sur la berge, Mayensi sortant d'une vague laiteuse, une perruque accrochée à des barbelés. L'odeur du sang s'agglutine à mes narines. Puis des voix fragmentées rattrapent les images... «J'ai consulté trois prêtres, tous ont eu la même révélation : Candela submergée d'eau... Candela est morte noyée...» Mayensi me montre les signes de sa main. «La Havane n'était pas ma destination prioritaire. Si ça ne tenait qu'à moi, je serais allée dans le

marais de Zapata...» Le marais... Playa Larga... la
péninsule de Zapata... les étendues d'eau... «noyée...
noyée...» Et cette silhouette fuyante qui s'éloignait
du marché...

— Juan!

Je sursaute.

La salle est tétanisée. Sur la scène, l'orchestre a
cessé de jouer. Les danseuses et les musiciens me
fixent, interloqués. Derrière le rideau, à moitié
camouflé dans les coulisses, Paco me toise, les
yeux exorbités. Manolo, qui se trouve le plus près
de moi, maugrée :

— Qu'est-ce qui te prend? Pourquoi tu as arrêté
de chanter? Tu as oublié les paroles ou quoi?

— J'ai arrêté de chanter?

— Ressaisis-toi, bon sang! Ce n'est pas le
moment d'avoir la tête ailleurs.

Vava reprend sa guitare. Je tente de me concentrer
sur le rythme. Dans la salle, hormis le braillement
des marmots, personne ne bronche. Tous les
visages sont tournés vers moi, hébétés.

À l'aube, j'ai sauté dans un taxi pour retourner
au marché de Playa Larga. Je suis certain d'avoir
halluciné hier, mais je veux en avoir le cœur net.
La nuit durant, je m'en suis voulu. Jamais je
n'avais été aussi transparent sur scène. Un pan de
ma légende a manqué d'être enseveli et je n'ai pas
l'intention de me laisser enterrer vivant. Je suis
prêt à solliciter un conjurateur si le fantôme de

Mayensi persiste à perturber les moments les plus importants de ma vie.

Je me suis attablé sur la terrasse d'une paillote qui tient lieu de troquet, non loin du marché et j'ai commandé tasse de café sur tasse de café en me rongeant les ongles. Les gens vont et viennent au milieu des étals, font leurs emplettes tranquillement. Sur la plage, des gosses jouent au foot, d'autres barbotent dans la mer bleu turquoise, d'autres encore s'amusent au pied des cocotiers. C'est un jour sain comme tous les jours qui se lèvent et se couchent sur l'arrière-pays.

Vers midi, le marché se met à se dégarnir. Les marchands commencent à remballer leur attirail. Pas de Mayensi en vue. J'en suis presque soulagé. La veille, le nom de Zapata, les étendues d'eau de la péninsule, l'écho des souvenirs – l'ensemble de ces facteurs a dû agiter mon subconscient, et la silhouette fuyante que j'ai cru entrevoir n'aura été qu'une illusion d'optique.

Je paie mes consommations et m'apprête à retourner à la Ciénaga quand, de l'autre côté du marché, la silhouette réapparaît. Elle descend un sentier menant à un hameau. Même longue chevelure rousse lâchée dans le dos, mêmes épaules frêles, mêmes hanches dunaires.

Je coupe à travers champs, la poitrine en débandade. J'ai peur de chacun de mes pas, et pourtant j'accélère. La silhouette marche au milieu des arbres. Je me dépêche de la rattraper avant qu'elle atteigne le hameau.

— Mayensi...

La femme s'arrête brusquement, tend l'oreille, puis sans se retourner, poursuit son chemin.

— Mayensi.

Cette fois, elle pivote sur elle-même. Elle reste un moment à me dévisager comme si elle ne me remettait pas, et, d'un coup, elle porte une main à sa bouche et bondit en arrière.

— C'est moi, Juan.

Elle se signe en catastrophe.

— Ai-je changé tant que ça?

Son visage n'est qu'effroi et incrédulité.

Dans ma précipitation, j'ai oublié qu'elle m'avait laissé pour mort, là-bas, sur la petite plage sauvage de Santa Fe. Elle doit me prendre pour un revenant.

— Tu m'as *seulement* blessé, la rassuré-je. Regarde comme je tiens droit sur mes jambes. Je n'ai pas gardé de séquelles de l'*accident*.

Elle ne sait pas si elle doit crier ou s'enfuir.

— Ce n'était qu'un accident, Mayensi. Ça peut arriver à n'importe qui.

Elle essaye de dire quelque chose; ses lèvres remuent sans libérer le moindre son.

— Je ne t'en ai jamais voulu. Comment t'en vouloir, Mayensi? Ce n'était pas ta faute.

Une larme glisse sur sa joue. Ou peut-être sur la mienne. Quelle importance? Sa voix me parvient de si loin qu'elle résonne en moi comme un écho d'outre-tombe.

— Tu n'aurais pas dû venir.

— C'est le hasard. J'ignorais que tu étais ici.

— Je ne suis nulle part.

— Ne le prends pas mal. Je suis de passage dans la province. En tournée. J'ai ma propre troupe, désormais. Un compositeur a mis en musique ton texte, «Don Fuego». Il fait un tabac.

Je m'aperçois que mes paroles devancent mes pensées, qu'elles giclent de ma bouche comme les rafales d'une mitraillette; je parle tellement vite que ma respiration s'emballe et menace de me suffoquer.

— Je t'ai cherchée, tu sais?

— Il ne fallait pas, réplique-t-elle d'une voix atone.

— C'était important pour moi.

— Rien n'est important.

Ce que je lis dans ses yeux me désespère.

Elle se protège, Mayensi. Son sens de la repartie est son bouclier. Ses paroles, des tirs de sommation.

Derrière elle, une ribambelle de gosses dévale un raidillon, droit sur la plage. Le plus grand brandit un ballon, les autres tentent de le lui prendre. Leurs piaillements diminuent au fur et à mesure qu'ils s'éloignent, rendant mon face-à-face avec Mayensi plus troublant encore.

Elle me fixe en silence, attend que je risque un mot pour le foudroyer en plein vol. Je la sens comprimée tel un ressort. Pourtant son visage ne trahit pas plus d'expression qu'une coulée de cire. J'ai envie d'un coup que les choses en restent là, de rebrousser chemin et de faire comme si cette rencontre n'avait pas eu lieu. Mais je suis rivé au sol, fasciné et curieux à la fois par le mystère qu'elle incarne et qu'elle s'entête à garder pour elle. Je m'escrime à lui trouver un air d'autrefois, une trace infinitésimale de la fille que j'ai aimée à la folie ; rien ne me rappelle la flamme belle et rousse qui illuminait mes nuits.

— On m'a dit que tu étais morte.

— Qui ne l'est pas, d'une certaine façon ?

Mayensi répond du tac au tac. Tel un automate. D'un ton froid, impersonnel. Rigide de la tête aux pieds. Les traits figés, le regard impénétrable. On dirait le reflet sur terre d'une âme en peine enchaînée dans les limbes. J'ai failli tendre la main pour m'assurer qu'elle était faite de chair.

Son attitude roide se veut barricade, tranchée, no man's land miné.

— Quand je t'ai vue hier, je n'en ai pas cru mes yeux. Puis je me suis rappelé que tu voulais t'exiler dans le marais de Zapata, et je me suis dit : c'est elle... Je suis content de te revoir. Tu ne peux pas savoir combien je suis content. Et soulagé.

— J'ai tourné la page.

Je tente de lui sourire ; mon visage s'est pétrifié.

— Le passé est derrière moi, assure-t-elle. Tout le passé. Sans exception.

— Mayen...

Elle pose ses doigts sur ma bouche. Sa main est froide. Et ferme. Elle ne tient pas à m'écouter. Elle veut juste que je m'en aille. Comme je suis venu. Que je passe mon chemin sans me retourner.

— *Sans exception*, insiste-t-elle. Est-ce que tu comprends ?

— Je crois que oui.

— Je vais bien, maintenant. Je ne suis plus obligée de me déguiser. Je suis guérie.

— Je suis très heureux pour toi.

— Ce n'est pas nécessaire. Tu ne me dois rien.

Elle pivote lentement sur ses talons et se dirige vers une baraque où un homme en short et en tricot de peau l'attend sur le pas de la porte, un nourrisson dans les bras. L'homme, un quarantenaire au visage brûlé par le soleil, me considère avec insistance.

— Qui est-ce, chérie ? demande-t-il à Mayensi.

— Personne, répond-elle en lui prenant l'enfant.

Ils rentrent dans le taudis et ferment la porte derrière eux.

Mayensi n'a pas eu un dernier regard pour moi.

Ainsi s'achève mon histoire avec Mayensi. Une histoire trop belle pour aller au bout d'elle-même, pareille aux promesses qui ne nous engagent à rien et que nous ne sommes pas censés tenir. Je ne regrette pas d'y avoir cru.

Le rêve le plus fou ne peut s'affranchir de ses effets secondaires. Il faut bien redescendre sur terre, marcher pieds nus dans le chardon, toucher le fond après avoir survolé les cimes. Je ne suis pas triste, je me suis réveillé. Je n'ai pas besoin de me pincer, ma douleur est vive – elle est un accouchement au forceps : je *renais à ce qui est vrai*.

J'ai été heureux, j'ai été vivant, j'ai été amoureux. À l'instar des étoiles filantes, j'ai eu mon
heure de gloire. Panchito a réussi à survivre à la
sienne, pourquoi pas moi?

Mayensi est sortie de ma vie à l'instant où elle
m'a tourné le dos. Tel un vœu qui abdique devant
son inconsistance. La réalité reprend toujours ses
droits, aucune illusion ne saurait la supplanter trop
longtemps.

Peut-on faire comme si rien n'était arrivé? Je
crois que oui. Mayensi a tourné la page; elle a
divorcé d'avec le passé. *Sans exception.* Si la rupture est possible, c'est la preuve que ce qui a
compté pour nous ne relève pas de l'absolu. Nous
sommes trop éphémères et trop fragiles pour réclamer l'absolu.

Il est des choses qui nous dépassent. Les contes-
ter ne nous mènerait nulle part. Les traquer nous
perdrait à jamais. Il faut mettre une croix sur ce qui
est *fini* si l'on veut se réinventer ailleurs. Panchito
savait de quoi il parlait. Il m'en a fallu du temps
pour l'admettre, mais j'y suis parvenu. Après tout,
qu'est-ce que la vie sinon une interminable mise à
l'épreuve. Celui qui se relève de ses faux pas aura
gagné l'estime des dieux. De toutes les couleurs
qu'on lui en a fait voir, il construira un arc-en-ciel.

En croyant mériter une femme unique au monde,
je n'ai réussi qu'à la fabriquer de toutes pièces. Je
l'ai magnifiée parce que je voulais être le plus heureux des amants. Mais je ne suis qu'un homme
ordinaire dont j'ai forcé le trait, persuadé qu'à

partir d'une lueur je créerais mon propre soleil et qu'avec l'amour en guise de levier j'élèverais un hypothétique abri au rang de mausolée.

J'imagine Mayensi derrière la porte close de son taudis et ne décèle qu'une ombre qui se dissimule dans le noir des recoins. Aucune fibre ne remue en moi. Je suis *guéri*, moi aussi.

S'il y avait une morale à mon histoire avec Mayensi, je ne saurais la définir. Le sort ne cautionne que le sens qui lui convient. Si ce sens nous échappe, c'est qu'il ne nous tient pas pour responsables de ce qui nous arrive de bon ou de mauvais. Il faut prendre les choses comme elles viennent, et c'est tout. Avec un minimum de sagesse, on s'aperçoit que les coups durs, loin de nous achever, nous rendent plus forts.

Adieu, Mayensi. Je voudrais tant te restituer les joies que l'on t'a confisquées, mais je ne peux que renoncer à celles que tu m'as procurées. Je n'ai plus envie de forcer la main au destin, de nager à contre-courant de ce que je ne peux surmonter. Ton naufrage me renvoie au mien, à mes déconvenues, à mes inaptitudes, mais aussi à mon refus de sombrer et à mon entêtement à regagner la terre ferme. Maintenant que les choses sont parvenues au bout d'elles-mêmes, je n'ai plus qu'à m'accommoder de ce que j'ai pu sauver, si maigre soit-il. L'aventure humaine est faite de hauts et de bas pour conférer du relief à ce qui n'aura été que platitude. Si l'existence n'était qu'un chant d'été, personne ne saurait combien la neige est belle en hiver.

J'ai cru, j'ai aimé, puis le rideau est tombé. Le plus grand des sacrifices, et sans doute le plus légitime, est de tolérer ce que l'on ne peut empêcher, de continuer d'aimer la vie malgré tout.

Je ne retournerai probablement pas à Santa Fe convoquer les moments merveilleux que tu m'as offerts, je n'aurai pas le courage de m'asseoir sur le sable et d'attendre que tu jaillisses d'entre les flots, je ne pardonnerai pas les drames qui t'ont abîmée – le plus tragique est que cela ne changerait rien. Je continuerai de sourire au jour qui se lève et de ne pas tourner le dos à la nuit.

Maintenant que tu n'es plus à moi, je n'exigerai pas grand-chose des années à venir. J'essayerai d'être en paix avec moi-même et indulgent avec ce qui me frappe. Je me contenterai de chanter dans les plantations pour les paysans et leurs gosses, pour les gens qui s'accrochent à l'espoir en dépit des vicissitudes. Je n'ai pas besoin d'avoir ma photo sur la jaquette d'un disque ou mon nom en haut de l'affiche pour être comblé. Il me suffit de tenir un micro dans mon poing pour tenir le monde.

L'autre jour, sur un chemin caillouteux menant j'ignore où, tandis que je me reposais au pied d'un arbre, j'ai entendu des gamins chanter «Don Fuego». Tu vois? Ton talent te venge de ta déveine. Pour toi, j'irais chanter «Don Fuego» d'un bout à l'autre de Cuba, et s'il m'était possible de quitter l'île, je ferais de ton poème le tube de tous les étés et je verrais à travers les fenêtres les ménagères fredonner tes vers, le paysan, le soldat, le routier, l'ouvrier les reprendre en chœur pour aller de l'avant, les scouts les entonner pour se donner du cran, les virtuoses en herbe les répéter à l'envi pour consolider leur génie. En vérité, on ne perd jamais tout à fait ce que l'on a possédé l'espace d'un rêve, puisque le rêve survit à sa faillite comme survivra à mes silences définitifs ma voix qu'on entendra, longtemps après ma mort, s'élever des plantations, se répandre dans la nuit comme une bénédiction, jusqu'à ce que je devienne l'éternel hymne à la fête que j'ai toujours voulu être.

La photocomposition de cet ouvrage
a été réalisée par
GRAPHIC HAINAUT
30, rue Pierre Mathieu
59410 Anzin

Imprimé en France par CPI
en juillet 2016